奥村真希・釜渕優子

はじめに

　仕事をする上で、メールのやり取りは欠かせないものになりました。仕事によっては毎日何十通ものメールに目を通し、多くのメールを書かなければならない人もいるでしょう。そんな時、1つのメールを書くのに長い時間を費やしていては、日常業務に支障が出るかもしれません。

　筆者も以前、毎日英語でメールを書いていたことがありました。最初のうちはたった数行のメールを書くのに何十分もかかってしまってとても困りましたが、よく使う表現や言い回し、単語を覚えていくうちに、どんどん速く書けるようになりました。

　日本語のビジネスメールでも、頻出の言い回しや定型の表現がたくさんあります。本書では、社会人の皆さんやこれから社会人になる学生の皆さんが、基本の表現や言い回しを学んで、ビジネスメールがスラスラと書けるようになることを目標に作りました。

　まず第1章基礎編では、日本のビジネスメールの常識とマナー、敬語についてまとめました。相手にとってわかりやすく、礼儀正しいメールを書くためには、どのようなことに気を付ければいいのかを確認しましょう。

　第2章実践編では、メールの内容別に17のカテゴリーに分け、それぞれケーススタディとしてメールのひな型を紹介しました。また、似たような内容で状況が違う場合のバリエーションを1つか2つずつ載せています。ポイントや練習問題を通して、基本の表現を学んでください。

　第3章応用編では、各カテゴリーにつき1題ずつ応用問題を出しています。実際に件名・本文を書く練習をして、実践力を磨いてください。

　本書では、学習者の皆さんの負担をなるべく軽くするよう、メールの例は極力シンプルにしました。ここで紹介したものだけが正解ではなく、他にもいろいろな表現の仕方がありますが、まずはベーシックなスキルを身につけてください。そして少しでもストレスを減らして、楽しく仕事をしていただければ幸いです。

2008年3月
奥村真希
釜渕優子

本書の使い方

第2章

① カテゴリー＆タイトル
仕事でよく行う基本のメール内容を17のカテゴリー、35のケースにまとめました。

② ケーススタディ
実際のメールのように書かれた文章例です。よく使われる表現や言葉を勉強するだけでなく、自分が書く時のひな型としても利用できます。

④ バリエーション1・2
同じ「依頼」のメールで違う状況のときのフレーズや言葉を、紹介・説明しています。

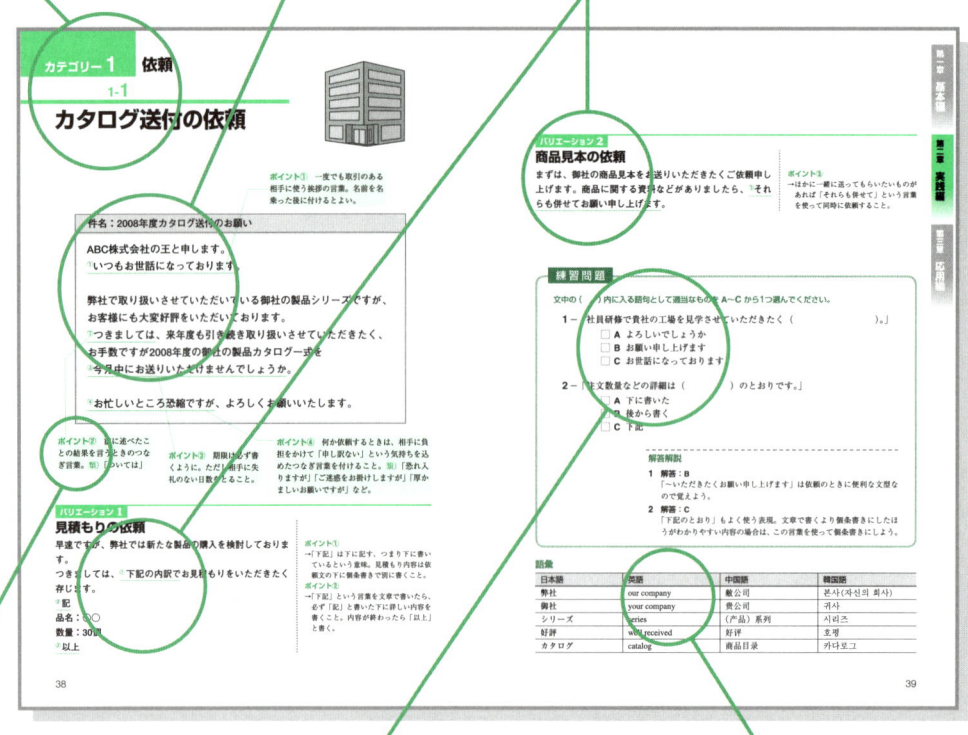

③ ポイント
常套句（じょうとうく）やよく使われる言葉・フレーズの説明。類)で、置き換えのできるほかの言い方を紹介しています。

⑤ 練習問題
ケーススタディとバリエーション1・2で勉強したことを、確認する問題です。

⑥ 語彙（ごい）
そのページに出てくる大切な単語や難しい単語を翻訳しています。

第3章

① タイトル
1カテゴリー1問ずつで全17問、実際にメールの件名・本文を書く問題があります。

② 内容
メールを書くための状況設定です。

⑤ 解答例
解答の一例です。別の言葉や表現を使って書いても構いません。第2章にいろいろな書き方の例が紹介してあります。

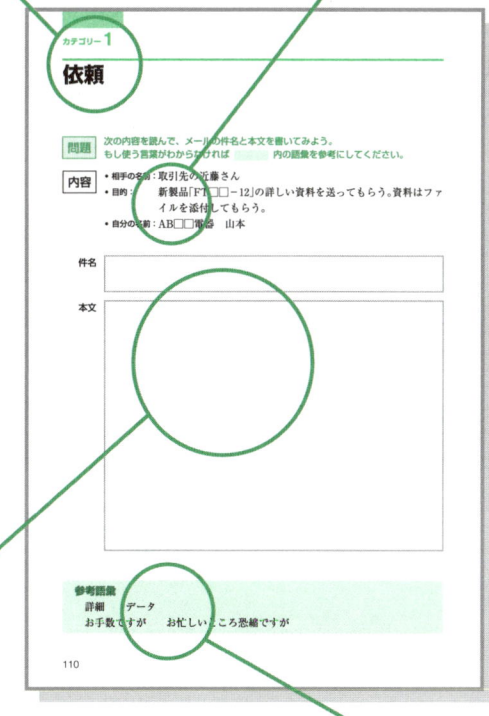

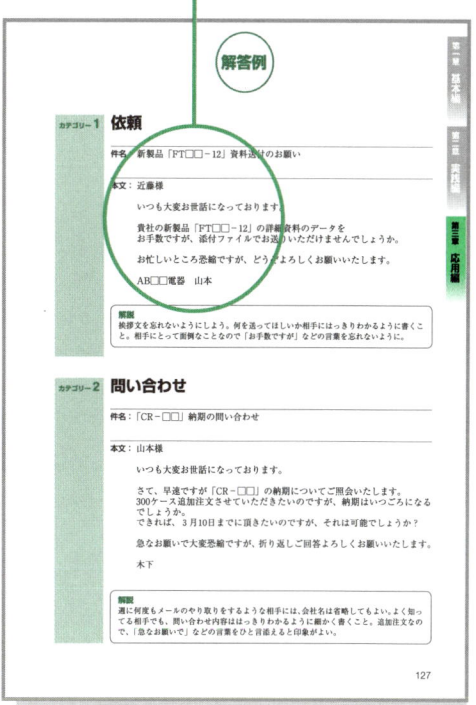

③ 件名・本文
件名はメール内容がわかるように、本文はなるべく簡潔に書いてみましょう。

④ 参考語彙
件名・本文を書くときの参考にしてください（別の言葉を使ってもいいです）。

目次

はじめに ……………………………………………………………… 3
本書の使い方 ………………………………………………………… 4
目次 …………………………………………………………………… 6

第1章 ビジネスメールの基本

メールが効果的なビジネスの場面 …………………………… 12

ビジネスメールの基本構成とマナー（留意点）……………… 13
   1. 宛名、CC、BCC ……………………………………………… 14
   2. 件名 …………………………………………………………… 14
   3. 添付ファイル ………………………………………………… 15
   4. 本文 …………………………………………………………… 15
   5. 署名 …………………………………………………………… 19

敬語のまとめ …………………………………………………… 20

中国語 …………………………………………………………… 24

韓国語 …………………………………………………………… 28

英語 ……………………………………………………………… 32

第2章 実践編

カテゴリー 1 依頼
   1-1 カタログ送付の依頼 ……………………………………… 38
   1-2 納期延期の依頼 …………………………………………… 40
   1-3 資料送付の催促 …………………………………………… 42

カテゴリー 2 問い合わせ
- 2-1 在庫状況の問い合わせ ……………………… 44
- 2-2 商品未着の問い合わせ ……………………… 46

カテゴリー 3 確認
- 3-1 資料の誤記や誤字の確認 …………………… 48
- 3-2 案内の不十分な点の確認 …………………… 50
- 3-3 支払い方法の確認 …………………………… 52

カテゴリー 4 回答
- 4-1 在庫状況の回答 ……………………………… 54
- 4-2 商品未着問い合わせへの回答 ……………… 56

カテゴリー 5 通知（社外）
- 5-1 資料送付の通知 ……………………………… 58
- 5-2 価格値上げの通知 …………………………… 60
- 5-3 休日の通知 …………………………………… 62

カテゴリー 6 案内（社外）
- 6-1 展示会の案内 ………………………………… 64
- 6-2 新商品研修の案内 …………………………… 66

カテゴリー 7 受領
- 7-1 商品などの受領 ……………………………… 68

カテゴリー 8 承諾
- 8-1 納期延期の承諾 ……………………………… 70
- 8-2 工場見学の承諾 ……………………………… 72

目次

カテゴリー 9　お礼
- 9-1　資料送付のお礼 …………………………… 74
- 9-2　注文のお礼 …………………………………… 76

カテゴリー 10　お詫び
- 10-1　発注書の書き間違い ……………………… 78
- 10-2　納期の遅れ ………………………………… 80
- 10-3　不良品の混在 ……………………………… 82

カテゴリー 11　断り
- 11-1　キャンペーン申し込みの断り …………… 84
- 11-2　新規取引依頼の断り ……………………… 86

カテゴリー 12　エスカレーション（転送）
- 12-1　窓口として担当者へ転送する …………… 88

カテゴリー 13　通知（社内）
- 13-1　IT メンテナンス …………………………… 90
- 13-2　書類の提出期限 …………………………… 92

カテゴリー 14　案内（社内）
- 14-1　新年会 ………………………………………… 94
- 14-2　定例ミーティング ………………………… 96

カテゴリー 15　報告（社内）
- 15-1　出張報告 ……………………………………… 98
- 15-2　ミーティング議事録 ……………………… 100

カテゴリー 16　申請（社内）
- 16-1　備品の使用申請 …………………………… 102

カテゴリー17 挨拶（あいさつ）
17-1 着任 104
17-2 着任の挨拶への返事 106

第3章 応用編

カテゴリー	1	依頼 110
カテゴリー	2	問い合わせ 111
カテゴリー	3	確認 112
カテゴリー	4	回答 113
カテゴリー	5	通知（社外） 114
カテゴリー	6	案内（社外） 115
カテゴリー	7	受領 116
カテゴリー	8	承諾 117
カテゴリー	9	お礼 118
カテゴリー10		お詫び 119
カテゴリー11		断り 120
カテゴリー12		エスカレーション 121
カテゴリー13		通知（社内） 122
カテゴリー14		案内（社内） 123
カテゴリー15		報告（社内） 124
カテゴリー16		申請（社内） 125
カテゴリー17		挨拶 126

第一章 ビジネスメールの基本

■ ビジネスメールの基本 ■

　仕事をしている皆さんは、毎日の業務の中で、頻繁にメールのやりとりをすると思います。日本のビジネス社会では、以前は「ビジネス文書」を多く使っていましたが、最近はメールを文書の代わりにすることも増えてきました。

　ビジネスメールは、比較的新しい通信手段なので、「ビジネス文書」のようには書式や書き方のマナーがきちんと決まっていません。そのため、ある人は直接会って話をするか文書にすべきなのにメールを使ったり、ある人は電話のほうが適している状況でもメールを使ったりと、使い方が混乱しています。また、友達同士でやり取りするような失礼な言葉遣いで書かれたメールや、内容がわかりづらいメールも見られます。

　仕事の上で、メールを効果的に利用するために、まずメールの特徴を理解しましょう。そして、その特徴に合った使い方とマナーを守って書くことが大切です。

メールが効果的なビジネスの場面

　ビジネス通信手段には、メールのほかに、面会、文書、電話、ファクスなどがあります。その中でメールを使うと効果的なのは、常識として以下のような場合だと考えられています。

- **緊急の用事でないもの**：メールを使用するのは、内容がそれほど急ぎの用事でないときが効率的です。なぜならメールは、相手がいつ読んでくれるのかわからないので、相手がメールをすぐにチェックできる状況かどうかわからないときは、緊急の用件は送らないようにします。緊急の場合は、電話を使うのが常識です。

- **内容が重要機密でないもの**：メールは、その内容が会社にとってそれほど重要でない時に使用しましょう。なぜならメールはインターネット上のサーバーを通して送られるので、ITに通じた人が内容を見ることができる、という危険があります。会社にとって非常に重要な情報などを、安易にメールで送るのはよくありません。

- **日常的な取り引き**：商品のやりとりや在庫の確認など、日常業務の中で頻繁に行われている取り引き内容は、メールでのやりとりが便利です。しかし、改まった依頼・感謝・謝罪・儀礼的な内容は、メールを使うと「お手軽」「対応が雑」

と思われるかもしれません。このようなときは、直接会うかビジネス文書を利用するのが一般的です。

・**単純な用件**：メールの内容は、単純であるべきです。なぜならメールではリアルタイムのやり取りができないので、交渉や意見交換が必要な複雑な内容をメールだけで処理しようとすると、発言の意図が伝わらない、内容がずれてくる、などの混乱を招きかねません。込み入った内容のときは会議を持つなどして、メールは使わないほうが無難です。

ビジネスメールの基本構成とマナー（留意点）

宛先：	n-yoshida@aozora.co.jp	1.
CC：	kawano@aozora.co.jp	
件名：	横浜フェア　第2回打ち合わせ日程	2.
添付：	map.gif（168kb）yokohama07.ppt（880kb）	3.

あおぞら企画 吉田様
（CC河野様）

いつも大変お世話になっております。

標題の件につきまして、下記のように日程を調整いたしました。
ご確認のほど、よろしくお願いいたします。

日時：12月5日（水）13：30～15：00
場所：弊社第3会議室
テーマ：会場のブース配置およびブース出店企業について
資料：添付ファイル2つをご参照ください
（ファイル名：map.gif、yokohama07.ppt）

ご不明な点などありましたら、遠藤までお尋ねください。
以上、取り急ぎ用件のみにて失礼いたします。

遠藤

（右側: 4.）

```
================================
遠藤かおり
ABCコーポレーション　イベント企画部
E-mail：endo-k@abc.co.jp
〒000-0000東京都品川区××××2-18-7F
TEL：03-XXXX-XXXX
FAX：03-XXXX-XXXX
URL：http://www.xxx.ne.jp/
================================
```
──5.

1. 宛名、CC、BCC

　一度に複数の人に情報を発信できるのが、メールの大きな利点です。宛名には受信者のアドレスを入力します。受信者以外の関係者にもメールを送りたいときはCCやBCCの機能を使います。受信者は、メールを受け取ったら返信をするのがマナーですが、CCやBCCの人は返信しなくてもよいとされています。CCに入力したアドレスは全員が見ることができますが、BCCに入れたアドレスは、ほかの人には見えません。BCCは、取り引き先に送るメールを上司にも送っておきたいときなどに利用します。

　CCを使ったときは、必要に応じて、受信者名と共にCCで送信した人の名前も記述するようにします。

2. 件名

　件名を書くときは、何についてのメールかひと目でわかるように、具体的に書きます。多くの人は一日にたくさんのメールを受信するので、件名によって内容の重要さや緊急の度合いを判断することが多いからです。

　件名が長過ぎると読みづらく、場合によっては端が切れてしまうときもあるので、なるべく20字ぐらいまでになるように気を付けましょう。件名には内容を表すキーワードを入れます。会議についてのメールだったら、「会議名」、「第〇回会議」、「会議延期」などの語を入れるとわかりやすくなります。

　時折、件名が空欄のままのメールや、内容は新しい話題なのに、件名だけ

「Re：○○○（以前のメールの件名）」というふうになっているメールを見ることがありますが、これはよくありません。

　相手に至急読んでもらいたいメールの場合、件名に「緊急」「重要」などと書く方法があります。これは本当に緊急、重要な場合のみ使います。いつも書いていると急いで読んでもらえなくなるので、注意しましょう。

避けたい件名の例	望ましい件名の例
次回ミーティングについて	2月定例営業会議の案内　など
お問い合わせの件	○○に関するお問い合わせについて　など
はじめまして	○○の担当者変更のお知らせ・ご挨拶　など
送付します	○○の資料を送付いたします　など
先日の件	○日のミーティングでの懸案事項について　など

3. 添付ファイル

　添付機能は、本文中に書くことが難しい文書や資料を送付できる便利な機能です。しかし、相手側の処理能力の環境を考えず、一度に大量にファイルを送るのはマナー違反です。そういうときは、何度かに分割して送信するようにします。また、自分のPCでは開けるファイルでも、相手側には開けないものもあるので、そのような可能性があるときは、事前に相手に確認すると親切です。（文例）「○○に関するファイルを添付したいのですが、パワーポイントのファイルをお送りしても問題ありませんでしょうか。」

　添付ファイルを通して、ウイルスに感染する危険性があります。送信するときはウイルスチェックをするようにし、本文中には「○○について、ファイルを1つ添付しました。ファイル名：○○○.ppt」などと書いておくようにします。

4. 本文

本文には、通常、以下のような内容が含まれます。
- 相手の名前（場合によって、CCでの受信者名）
- 挨拶文
- 主文
- 結びの文
- 自分の名前

〈 相手の名前 〉

　よく取り引きのある相手の場合は、「○○様」と名前だけ書くことも多いです。初めてのメールや、時々しか出さない相手のときは、「株式会社△△営業部　○○○○様」のように、会社名、部署名、名前（フルネームのほうが丁寧）を書くようにしましょう。なお、相手から来たメールの返信の場合は省略することもあります。
　CCで送信した人がいるときは（　）書きで（CC：○○様）などと書いておくと親切です。

〈 あいさつ文 〉

　主文の前に、ひと言、挨拶文を入れるのがマナーです。ビジネス文書のように「○○の候　貴社におかれましては……」という長い挨拶は書きませんが、短くても礼儀正しい言葉で書きます。社外・社内で異なった表現になります。

> **一般的な挨拶文の例**
>
> お世話になっております。（最もよく使われる表現）
> いつも大変お世話になっております。（丁寧な言い方）
> いつもご利用（ご愛顧）いただき、ありがとうございます。（お客様向け）
> ご無沙汰しております。（最近連絡を取っていなかった人に）
> 先日は（このたびは）、ありがとうございました。（最近の出来事を話題にするとき）
> 早々のご返事、ありがとうございます。（相手からのメールに対して）
> 初めてメールいたします。○○と申します。（初めてメールをする相手に対して）
> お疲れさまです。（社内向けの最も一般的な表現）

〈主文〉

　次はいよいよ主文です。主文は相手に読みやすく書くように工夫しましょう。そのためには、①内容をわかりやすく書く、②ビジネスを意識した言葉遣いにする、③メールの特徴を踏まえたマナーを守ることが大切です。

① 内容をわかりやすく書く

　まず、最初の1行にメールの目的を書くとわかりやすくなります。「○○の件で、メールをお送りいたしました」「昨日のミーティングの結果をご報告いたします」「○○についてお願いしたく、ご連絡いたしました」などです。1つのメールには用件を1つだけ書くのが通常です。

　次に、内容は簡潔に書くことを意識し、誰が、何を、いつ、などの5W3Hを忘れないようにしましょう。詳細な内容は、個条書きにすると、非常に読みやすくなります。

5W3H

Who（誰が）
What（何を）
When（いつ）
Where（どこで）
Why（なぜ）
How（どのように）
How many（どれくらい）
How much（いくらで）

---

② ビジネスを意識した言葉遣いにする

　社内向けのメールでは、敬語などの丁寧さよりも、簡潔さや対応の早さなどが重視されると思いますが、取引相手に出す社外メールの場合は、相手に失礼にならないように、丁寧な表現を心掛けることが大切です。

　友達にメールを書くときのように、話し言葉と同じような、くだけた言葉遣いで書いてしまうと、相手が不快に思うかもしれないので、注意しましょう。同様に、

■ ビジネスメールの基本 ■

「(^ ^)」などのいわゆる顔文字を使ったり、「！」「？」などの記号を多用したりすることも、印象を悪くする原因になります。

かといって、慣れない敬語を無理に使おうとして、主語述語が混乱してしまったりすると逆効果です。この本では、失礼のない程度でなるべくシンプルな敬語表現を紹介しましたので、参考にしてください。

③ メールの特徴を踏まえたマナーを守る

メールを開いた時、画面いっぱいに文字が詰まっていたら、読む気もなくなるでしょう。メールを書くときは、だいたい1行30〜35字程度にして改行するのがよいとされています。また、意味のまとまりごとに1行あけると、すっきりと見やすい画面になります。

次に、メールには、シンプルなテキスト形式と、いろいろ装飾する機能があるHTML形式がありますが、ビジネスではテキスト形式で送るのが常識です。

また、「機種依存文字」は使わないのが原則です。機種依存文字というのは、相手のパソコンの機種やOSによって読めたり読めなかったりする文字のことで、読めない場合は文字化けを起こしてしまいます。半角カタカナや、省略文字・単位（㈱、㈲、㎝、㎏、№など）、丸付数字（①、②……）ローマ数字（Ⅰ、Ⅱ……）などがそれに当たります。

最後に、メールを書き終えたら、たとえ急いでいるときでも、送信する前にもう一度読み直しましょう。誤字・脱字・変換ミスが多いと、相手に「対応が丁寧でない、注意深さが足りない」などと評価されてしまうからです。

〈 結びの文 〉

用件を書き終えたら、結びの文を書きます。だいたいは定型の文章を使います。次に紹介してある文が、最も一般的な結びの文です。

一般的な結びの文の例

以上／なにとぞ／では／今後とも　＋　よろしくお願いいたします。
以上／まずは／取り急ぎ　＋　ご連絡まで／お知らせいたします／
　　　　　　　　　　　　　　　用件のみにて失礼いたします。

〈 自分の名前 〉

　自分の名前は本文の最初か最後に必ず書きます。結びの文の下に、名字だけ書くのが最も一般的で、最初に書く場合は、宛名の下、あるいは挨拶文の下に「○○会社△△事業部　山本です」などと書きます。

　頻繁にやり取りがある相手へのメールでは、いちいち最初に名前を書くことは少ないですが、初めてメールを出す相手、あまり頻繁にメールをやり取りしない相手のときは、最初に名乗るほうが礼儀正しいといえるでしょう。

5. 署名

　通常、メールの末尾に送信者の情報を記した「署名」を入れます。署名はあなたの所属先の情報だけでなく、さりげなく宣伝したい内容を含めることができるスペースですので、有効に活用しましょう。メールソフトの署名を登録する機能を利用すると便利です。社外向け、社内向けで情報の内容が変わりますので、別々に作っておきましょう。

- 社外向け：会社名、部署名、氏名、会社住所、電話・FAX番号、
　　　　　　メールアドレス、会社URL、ひと言PRなど
- 社内向け：部署名、氏名、内線番号、メールアドレス

敬語のまとめ

動詞の敬語形

尊敬語	① お／ご〜になります
	② れる・られる
	③ 「いらっしゃる」などの特別な形
	④ お／ご〜いただいた○○（※相手に何かしてもらったときの表現）
謙譲語	⑤ お／ご〜します・いたします・させていただきます・申し上げます
	⑥ 「まいります」などの特別な形
丁寧語	⑦ 〜ございます／〜でございます
	⑧ お約束・お急ぎ／ご連絡・ご報告　など

【例】
① ・部長はお戻りになりましたか？
　・ご使用になる場合のご注意

② ・もうすぐ部長が帰られるので、それから話しましょう。
　　※「れる・られる」は受け身の意味と間違えやすいので、使わないことが多い。

③ ・昨日、山本様がお見えになりました。
　・部長がおっしゃったことを覚えていますか。

④ ・お送りいただいた見積もりについてですが
　・日程はご覧いただけましたでしょうか

⑤ ・資料をお送りいたします。
　・私がご案内申し上げます。

⑥ ・お電話でも申し上げましたが、
　・提案書を拝見しました。

⑦ ・弊社には研究施設がございます。
　・新製品のパンフレットでございます。

⑧ ・お疲れのようですが大丈夫ですか。
　・ご注文の品物の件です。

> **※相手に何かを頼むときの敬語表現**
> - お／ご〜ください・くださいませ
> - 〜くださいますようお願いいたします・申し上げます
> - 〜いただきたくお願いいたします・申し上げます
> - 〜いただけますでしょうか
> - 〜いただき（け）ますようお願いいたします・申し上げます

代表的な敬語動詞

	尊敬語	謙譲語
言います	おっしゃいます	申します　申し上げます
聞きます	お聞きになる	伺います　承ります
思います	お思いになります	存じます
見ます	ご覧になります	拝見します
知っています	ご存じです	存じております　存じ上げております
知りません	ご存じない（そうです）	存じません
します	なさいます　されます	いたします
います	いらっしゃいます	おります
行きます　来ます	いらっしゃいます　おいでになります　お見えになります　お越しになります	まいります　伺います
会います	お会いになります	お目にかかります
もらいます		いただきます　頂戴します
くれます	くださいます	
あげます		差し上げます

「お～」「ご～」のつく言葉

「お」のつく言葉	「ご」のつく言葉
お礼　お荷物　お手数　お電話　お約束　お祈り　お見舞い　お名前　お気持ち　お食事　お飲み物　お急ぎ　お品物　お休み　お写真　お考え　お言葉　など	ご参加　ご登録　ご出席　ご署名　ご注文　ご遠慮　ご報告　ご無理　ご紹介　ご予算　ご予定　ご住所　ご送金　ご入金　ご丁寧　ご配慮　ご意見　ご利用　ご相談　ご返事　ご気分　ご一緒　など

■ ビジネスメールの基本 ■

改まった言い方

	普通の言い方	改まった言い方
代名詞	これ	こちら
	それ	そちら
	どれ	どちら
	誰	どなた
	どんな	どのような
	どう	いかが
時間	今日	本日（ほんじつ）
	あした	明日（みょうにち）
	きのう	昨日（さくじつ）
	去年	昨年
	今	ただ今
	さっき	先ほど
	後で	後ほど
	この間	先日（せんじつ）
	その日	当日
	次の日	翌日
	今度（今回）	このたび
	今度（この次）	次回
	今度（ほかの日）	後日
	ちょっと	少々　少し
	すぐ	至急　〜次第
表現	〜です	〜でございます
	〜ではありません	〜ではございません
	そうですか	さようでございますか
	どうですか	いかがですか
	いいですか	よろしいですか
	わかりました	かしこまりました　承りました
	わかりません	わかりかねます
	あります	ございます
	ありません	ございません
	すみませんが	申し訳ございませんが
	できません	できかねます　いたしかねます

自称と他称の代表的なもの

　メールの中では、同じ言葉でも自分や自分側のものを指すときと、相手や相手側のものを指すときで言い方が変わります。それを「自称」「他称」(「卑称」「尊称」)といいます。たくさん種類があるので、代表的なものだけ紹介します。

	自称	他称
個人	私	○○様　○○さん
複数人	私ども	各位　ご一同様
会社	弊社　私ども	貴社　御社　(社名)様
学校	本校　当校	貴校　貴大学
上司	(部長の)山本	山本部長(様)　部長の山本様
社員	弊社社員　弊社(の)山本	貴社／御社社員　貴社(の)山本様
意見	私見　愚見	ご高見　ご高説
考え	私見　拙案	ご高見　ご意向　お考え　貴案
受け取り	拝受　受領	ご査収　お納め　ご受領
配慮	配慮　留意	ご高配　ご配慮　お引き立て
手紙	書面　書中	貴信　ご書状　ご書面
メール	お送りしたメール　こちらからのメール	貴メール　山本様からのメール

クッションワード

　相手に何かを依頼したり申し出を断ったりするときに、クッションワードを上手に用いると、言葉の印象が丁寧で柔らかくなり、コミュニケーションがスムーズにいきます。

頼む・尋ねる	恐れ入りますが
	お手数ですが
	ご面倒ですが
	ご迷惑をお掛けしますが
	申し訳ございませんが
	お忙しいとは存じますが
	よろしければ
	お差し支えなければ
	失礼ですが
	念のため
断る・謝る	あいにくではございますが
	せっかくですが
	残念ながら
	申し上げにくいのですが
	大変心苦しいのですが

第一章 商务邮件基础

我想，从事商务工作的人们在每天繁忙的业务活动中不时需要通过商务邮件来处理工作中的问题。过去日本商务界业务上的交流大多采用商务书信方式，而近来商务邮件逐步取代商务书信，业已成为商务往来中不可或缺的沟通手段。

作为一种全新的通信手段，商务邮件至今还没有像商务书信那样有固定的书写格式和书写规范。如今，本应通过直接见面、商务书信或电话联络处理的业务无一不在使用商务邮件，滥用商务邮件的情况十分严重。我们不时可以看到用朋友之间书信来往中粗俗的语言书写的商务邮件以及内容不知所云理解困难的商务邮件。

为了使商务邮件在工作中较好的发挥其应有的作用，我们必须了解商务邮件的特点，进而掌握符合商务邮件特点的使用方法和书写规范。做好这一项工作对商务活动的开展具有非常重要的意义。

在什么情况下通过商务邮件进行业务沟通可以收到较好的效果呢？

在买卖双方业务联系过程中，除利用商务邮件之外，常用的联络方式还有直接面谈、商务书信、电话传真等。一般来讲，作为商务人员所必备的知识，必须了解商务邮件联络方式的特点，也就是说，必须了解通过商务邮件方式进行业务联系可以收到较好效果的以下几种情况。

- 无须马上处理的业务：在业务处理方面，时间要求不同所采用的沟通方式亦不同。商务邮件在处理非紧急业务方面效果明显好于其他沟通方式。对方何时打开邮箱阅读邮件是发件人很难预料的事情。在无法确认对方是否会马上阅读邮件的情况下，应尽可能避免使用商务邮件。急于处理的业务电话联系是最为有效的。对商务人员来说这是起码的常识。
- 内容不涉及重要机密的业务：只要业务内容不属于公司机密，业务沟通手段大都可以采用商务邮件方式。邮件经英特网服务器进行传输，精通IT业务的人可以轻易偷阅邮件内容。正因为有这样的风险，对于公司来讲不应该通过商务邮件这种方式向业务对方传递非常重要的业务信息。
- 日常联络的业务：在商品出库入库、库存核对等日常业务中，通过商务邮件方式处理庞杂的业务既快捷又方便。但是，在处理涉及到委托代理、感谢、道歉、回礼等内容的业务时，采用商务邮件方式往往会给人以态度简慢和不负责任的印象。在这种情况下还是以直接交流或商务书信联络为妥。
- 单纯业务：邮件内容应简明扼要。通过商务邮件进行业务联系的主要缺点之一是无法期待即时效应。当需要和对方进行业务磋商或就业务中存在的问题交换意见时，如果仅凭商务邮件这一种手段来处理这种包含有复杂思想活动在内的业务，不仅无法确切传递己方的真正意图，在实质内容贯彻落实方面也会引起混乱。因此，在处理这种需要落实实质内容的业务时选择会议方式或许更为妥当。总之，在上述情况下避免使用商务邮件是非常明智的选择。

商务邮件的文章结构要求以及应遵守的书写规范

1. 收件人姓名、抄送功能和暗送功能

　　商务邮件的最大优点是可以同时向多方面发送信息。想做到这一点方法十分简单——即在收件人处键入收件人的邮箱即可。如打算同时将邮件发给与收件人相关的人员时可以使用抄送功能或暗送功能。收件人接到邮件随即复信是行业规范所要求的，而对于通过抄送、暗送功能收到邮件的相关人员则没有这种要求。利用抄送功能键入的邮箱（邮件）所有人员都能看得到，而利用暗送功能键入的邮箱（邮件）无关人员是看不到的，我们对此必须有所了解。也就是说，如果想把发给客户的邮件同时发给自己的上司的话可以使用暗送功能。

　　使用抄送功能时应根据需要把收件人的姓名和相关人员的姓名一并纪录并保存下来。

2. 邮件题目

　　为了使人看到邮件题目即能把握邮件核心内容，邮件题目应尽可能写得具体。很多人一天中都会收到大量邮件，人们总是根据邮件题目来判断邮件内容的重要性并推断时间方面的要求。

　　邮件题目太长人读起来会感到很累，某些情况下人们还可能在扫读中忽略掉一部分内容，故邮件题目的句幅应以不超过20字符为宜。这点要特别引起注意。邮件题目中应键入表示邮件内容的关键词。如果是关于会议内容的邮件，键入"会议名称"、"第××次会议"、"会议延期"等内容则简明易懂。

　　有时我们会看到虽然邮件内容具有新闻性，但邮件题目位置没有邮件题目，只写着"Re:××（以往邮件的邮件题目）"的邮件。看到这样的邮件你会有什么感想呢？

　　如希望对方尽快看到邮件，可以考虑在邮件上注明"紧急"、"重要"字样。但同时应当注意，除非确实属于紧急邮件、重要邮件，否则不宜采用这一方法。如果频繁使用这一方法，对方反而会认为并非什么紧急、重要邮件，不会急于阅读。

3. 附件

　　所谓附件功能是指能够发送要件说明文中不可能书写的文件和资料的一种简便功能。不考虑对方业务处理方面的相应条件，一次性发送大量文件显然违反行业规范。当出现必须发送大量文件的情况时一定要将文件归类分次发出。有些文件还有可能出现在自己的PC上打得开，在对方PC上打不开的特殊情况，这时最好事先征求一下对方的处理意见。比如说可以给对方发出这样的信息——我方拟向贵方发送关于××的邮件，请问可以发送幻灯片文件吗？

　　在发送附件过程中附件有时会感染病毒。因此，发送附件前应首先检查附件是否带有病毒，并在要件说明文中注明"关于 ××，专此附上邮件一份。邮件题目××.ppt"。

4. 要件说明文

要件说明文一般由以下内容构成
・对方姓名（根据情况对方姓名有时只写抄送收件人名）
・礼节性问候
・要件说明文正文
・结束语
・邮件发送人姓名

〈对方姓名〉

如果是老客户，一般只写姓，如"××先生"。而对于初次打交道的客户或只是偶尔联系的客户，则应采用"××株式会社×× 营业部××先生"这样的书写格式，写明公司名、部门名和收件人名全名。当然，如果是属于回复对方来件性质的邮件，收件人内容亦可根据情况做适当删减。，
　　当需要以抄送功能发送邮件时用（　　）注明（CC：××先生），对方会认为你很负责任。

〈礼节性问候〉

商务邮件书写规范还有这样的要求——在要件说明文之前写上一句礼节性问候语。如同商务书信，无需用"值此……时分，贵公司……"这样繁琐的书写方式，只要写上一句精练的礼节性用语就完全可以体现发件人的职业素养。另外，邮件是发往公司内部还是发往公司外部，礼节性用语的选择是完全不同的。这一点我们也不应该忽略。

〈要件说明文正文〉

这一部分是要件说明文的核心，表达方式必须尽可能使对方简明易懂。为此，（1）内容力求简明（2）使用符合商务规范的语言（3）遵守根据商务邮件特点制定的书写规范。

（1）内容力求简明

首先，正文第一行写明发送邮件的目的，让对方立刻明白发送邮件的意图。比如说，"关于××，现发送邮件一份，请过目。""专此汇报昨天的会议结果""关于××问题，恳请贵方给与合作。"等等。如上述例句，通常一个邮件只谈一件业务。
　　其次，应尽可能将邮件内容写得简明。对方是谁？什么事由？什么时间？（日语将此类内容归纳为5W3H）这些关键内容是绝对不能忽略的。具体内容更应逐条简明扼要地加以说明，使人一目了然。

（2）使用符合商务规范的语言

我以为，面向公司内部发送的邮件首先应当重视的内容应该是邮件的简明性和针对邮件所要解决问题的处理速度，而不是看重敬语的使用是否到位。而发给公司外客户的邮件则应该重视敬语的使用方法，万不可让客户感到我方有失礼之处。如果像给朋友写邮件那样用纯粹的口语或含混不清的

语言表达方式来书写发给客户的邮件，无疑会使客户感到不快。与此同然，使用"（＾＾）"这一类不严肃的符号文字或频繁使用"！""？"等标点符号也会给企业形象带来负面影响。这些方面都应该特别注意。

另外，勉强使用难以把握的敬语，往往会使主语、谓语出现错误，如此必然有悖发件人良好的初衷。为了让大家能够最低限度地掌握好敬语的使用方法，本书介绍了最基本的敬语表达方式，请参考。

（3）遵守根据商务邮件特点制定的书写规范

当你打开邮件，看到挤满画面的文字，肯定没有心情去仔细阅读。一般来讲，书写邮件时每行写至30～35字时改行为宜。如果能够按照意思分开段落书写邮件，画面上的字符会很清晰，人的眼睛也会感到舒适。

邮件有简单的文本形式和具有各种修饰功能的HTML形式。商务邮件主要使用文本形式，这是起码的常识。

原则上不使用"机型特别文字"。所谓"机型特别文字"是指根据对方的PC机型和OS情况的不同，画面上有时会出现可识别和不可识别的文字这一现象。不可识别的文字就是指画面上出现的乱码。半角片假名、简易文字·（（株）、（有）cm、kg、No.等等）、圆形数字（①、②……）和罗马数字（Ⅰ、Ⅱ……）等都属于这一类。

最后在强调一点。邮件写完之后即便急于发出，发出之前还是应该再检查一边。错白字、漏写的字以及文字转换错误过多的话，对方一定会认为你"粗心大意、工作态度不认真"。

〈结束语〉

要件说明文正文写完之后还应写邮件结束语。一般来讲，结束语大都使用固定的表达方式。这里所介绍的例句都是结束语最基本的表达方式。

〈邮件发送人姓名〉

邮件发送人姓名应写于邮件开头（邮件上方）或结尾（邮件下方）位置。通常家族姓氏大都写在结束语的下方。如需写于邮件上方，应写于收件人人名之下或写在礼节性问候语之下。如"××公司××事业部　山本"等。

发给频繁交往的客户的邮件一般不必每次都在邮件上方写上发件人的人名。如果邮件发送对象属于初次打交道的客户或是属于以往较少通过邮件联系的客户则均应在邮件上方写上发件人的人名。从商务礼节上来看这是非常重要的一点。

5. 签名

一般情况下，邮件末尾应写上发件人的姓名和发件人的相关信息。签名不仅意味着向对方提供你所在单位的相关信息，还意味着向对方宣传自己，故应尽可能使签名发挥积极作用。如能充分利用所注册的邮件签名软件的相应功能无疑会给商务沟通带来诸多方便。发往公司外部和发向公司内部的邮件信息内容不尽相同，分别处理有益于商务活动。

제1장 비지니스 메일의 기본

직장에 다니는 여러분은, 매일 업무 중에 빈번하게 메일을 주고 받으실 겁니다. 일본의 비지니스 사회에서는 이전까지 [비지니스 문서]를 많이 사용하였지만, 최근에는 문서 대신에 메일을 사용하는 경우가 늘고 있습니다.

비지니스 메일은 비교적 새로운 통신 수단이기 때문에 [비지니스 문서]처럼 서식이나 작성 매너가 아직 확실하게 정해져 있지 않습니다. 그렇기 때문에, 어떤 사람은 직접 만나서 이야기 해야 하거나 문서를 보내야 하는 경우에도 메일을 보내는 경우도 있고, 어떤 사람은 전화로 전해야 할 내용을 메일로 보내는 등 쓰는 방법이 제각각입니다. 게다가 친구끼리 메일을 주고 받을 때나 쓰는, 실례가 되는 말을 사용한 비지니스 메일이나 무슨 내용인지 이해하기 어려운 메일도 있습니다.

업무 중에 메일을 효과적으로 사용하기 위해서, 먼저 메일의 특징을 이해하도록 합시다. 그리고 그 특징에 맞는 사용법과 매너를 지켜서 메일을 사용하는 것이 중요하겠습니다.

비지니스에서 메일이 효과적인 경우

비지니스상의 연락 방법은 메일 이외에 면회(방문), 문서, 전화, 팩스 등이 있습니다. 그 중에 메일을 사용하는 것이 효과적인 경우는 일반적으로 다음의 경우라 할 수 있습니다.

- 급한 용무가 아닌 경우 : 메일을 사용하는 것은, 내용이 그다지 급한 용무가 아닌 경우에 사용하는 것이 효과적입니다. 왜냐하면 메일은 상대방이 언제 읽어줄지 모르기 때문에 상대가 메일을 바로 체크할 수 있는 상황인지 아닌지 알 수 없는 경우에는 급한 용건은 보내지 않도록 합니다. 급한 용무일 경우에는 전화로 연락하는 것이 상식입니다.
- 내용이 중요기밀이 아닌 경우 : 메일은, 그 내용이 회사에 있어서 그다지 중요하지 않은 내용일 때 사용합시다. 왜냐하면 메일은 인터넷상의 서버를 통해서 보내는 것으로, IT에 능한 사람이 그 내용을 훔쳐볼 수 있다는 위험이 있습니다. 회사에 있어서 중요한 정보 등은 안이하게 메일로 보내는 것은 좋지 않습니다.
- 일상적인 거래의 연락 : 상품의 주문이나 재고의 확인 등 일상적인 업무 중에 빈번하게 이루어지는 내용은 메일로 연락하는 것이 편리합니다. 그러나 격식을 차려야하는 의뢰, 감사, 사죄, 의례적인 내용은 메일을 사용하면 [성의가 없다],[태도가 나쁘다] 라고 상대방이 생각할 수도 있습니다. 그런 경우에는 직접 만나거나 비지니스 문서를 이용하는 것이 일반적입니다.
- 단순한 용건 : 메일의 내용은, 단순해야 합니다. 왜냐하면 메일은 실시간으로 주고 받을 수 있는 것이 아니기 때문에, 교섭이나 의견 교환이 필요한 복잡한 내용을 메일 만으로 처리하려고 하면 발언의 의도가 제대로 전달 되지 않거나, 내용의 앞 뒤가 맞지 않는 등 혼란을 피할 수 없게 됩니다. 복잡한 내용일 경우에는 회의를 가지는 등 메일로 처리하지 않는 것이 무난합니다.

비지니스 메일의 기본 구성과 매너(유의점)

1. 수신자명, CC、BCC

한 번에 많은 사람에게 정보를 발신할 수 있는 것이 메일의 큰 이점입니다. 수신자명에는 수신자의 메일 어드레스를 입력합니다. 수신자 이외의 관계자에게도 메일을 보내고 싶을 때는 CC나 BCC 기능을 사용합니다. 수신자는 메일을 받으면 답신을 보내는 것이 매너이지만, CC나 BCC로 메일을 받은 사람은 답신을 하지 않아도 됩니다. CC에 입력한 어드레스는 전원이 볼 수 있지만 BCC에 입력한 어드레스는 다른 사람은 볼 수 없습니다. BCC는 거래처에 보낸 메일을 상사에게 보내두고 싶을 경우 등에 사용합니다.

2. 제목

제목을 적을 때는 무엇에 대한 메일인지 한 눈에 알아볼 수 있도록 구체적으로 씁니다. 많은 사람들이 날마다 다수의 메일을 받기 때문에, 제목을 보고 내용의 중요성과 업무의 긴급성을 판단하는 사람이 많습니다.

제목이 너무 길면 읽기 어렵고, 경우에 따라서는 칸이 모자라서 뒷 부분의 내용이 보이지 않기 때문에, 되도록이면 20자 이내로 쓰도록 주의합시다. 제목에는 내용에 관련된 키워드를 적습니다. 회의에 대한 메일이라면 [회의 이름], [제○회 회의], [회의 연기]등의 말을 넣으면 알아보기 쉽습니다.

때때로 제목이 공란인 메일이나, 새로운 내용의 메일인데도 불구하고 제목을 새로 작성하지 않고 [Re: ○○○(이전 메일 제목)] 과 같이 받은 메일의 제목을 그대로 보내는 경우도 있는데, 이것은 좋지 않습니다.

상대방이 급히 읽어주기를 원하는 경우라면, 제목에 [긴급],[중요]등을 쓰는 방법도 있습니다. 이것은 정말 긴급하고 중요한 경우에만 사용합니다. 항상 이런 말이 쓰여 있으면 빨리 읽어주지 않으므로 주의합시다.

3. 첨부 파일

첨부 기능은 본문에 쓰는 것이 어려운 문서나 자료를 보낼 수 있는 편리한 기능입니다. 그러나 상대측의 처리 능력과 환경을 생각하지 않고, 한 번에 대량의 파일을 보내는 것은 매너가 아닙니다. 그런 경우에는 몇 번 정도 나누어서 보내도록 합니다. 또 자신의 컴퓨터로는 열어 볼 수 있는 파일도 상대방이 열어볼 수 없는 경우도 있으므로, 그럴 가능성이 있는 경우에는 사전에 상대방에게 확인하는 것이 매너입니다. (예) [○○에 대한 파일을 첨부하고 싶습니다만, 파워포인트 파일을 보내도 괜찮습니까?]

첨부 파일을 통해서 바이러스에 감염될 위험성도 있습니다. 첨부 파일을 보낼 때는

바이러스 체크를 하도록 하고, 본문 중에는 [○○에 대해서 파일을 한개 첨부했습니다. 파일명 : ○○○ .ppt] 와 같이 써 두도록 합니다.

4. 본문

본문에는 통상 다음의 내용이 들어갑니다.
· 상대방의 이름 (경우에 따라 CC의 수신자명)
· 인사말
· 본론
· 맺음말
· 자신의 이름

〈상대방의 이름〉

자주 거래를 하는 상대인 경우에는 [○○님]과 같이 이름만 적는 경우도 많습니다. 처음으로 메일을 보내는 경우나 가끔씩밖에 메일을 보내지 않는 경우에는 [주식회사△△영업부 ○○○○님] 과 같이 회사명, 부서명, 이름(풀네임으로 적는 것이 매너) 을 적도록 합시다. 그리고 상대방에게 온 메일의 답신인 경우에는 생략하는 경우도 있습니다.

CC로 송신한 사람이 있는 경우도 ( ) 안에 (CC: ○○님) 과 같이 적는 것이 좋습니다.

〈인사말〉

본론 앞에 인사말을 한마디 넣는 것이 매너입니다. 비지니스 문서와 같이 [귀사의 안녕과 번영을 ……] 와 같은 긴 인사말은 쓰지 않고, 짧고 공손한 말로 적습니다. 사외용 메일과 사내용 메일은 각각 다른 표현을 사용합니다.

〈본론〉

다음은 드디어 본론입니다. 본론의 내용은 상대방이 읽기 편하게 쓰도록 신경을 씁시다. 그렇게 하기 위해서는 (1) 내용을 알기 쉽게 쓰고 (2) 비지니스를 의식한 언어를 사용하며 (3) 메일의 특징을 반영한 매너를 지키는 것이 중요합니다.

(1) 내용을 알기 쉽기 쓸 것

먼저, 제일 첫째줄에 메일의 목적을 쓰면 알기 쉽습니다. [○○의 건으로 메일을 보냅니다], [어제 회의 결과를 보고 드립니다], [○○에 대해서 부탁드리고 싶어서 연락드렸습니다] 등 입니다. 하나의 메일에는 하나의 용건만 쓰는 것이 보통입니다.

다음에 내용을 간결하게 적는 것을 의식해서 누가, 무엇을, 언제 등 5W3H를 잊지 않도록 합니다. 상세한 내용은 항목을 나누어서 작성하면 아주 읽기 편합니다.

(2) 비지니스를 의식한 말을 사용할 것

사내에 보내는 메일은 경어를 사용하는 등의 격식 보다도 간결함과 대응 속도를 중시하지만 거래처에 보내는 사외용 메일의 경우에는 상대방에게 실례가 되지 않도록 공손한 표현을 쓰도록 주의하는 것이 중요합니다.

친구에게 메일을 보낼 때처럼 일상어를 사용하거나 가벼운 말을 사용해 버리면 상대방이 불쾌하게 생각할 지도 모르기 때문에 주의합니다. 또한「(＾＾)」등과 같은 속칭 이모티콘(그림말)을 사용하거나「！」「？」등의 기호를 너무 많이 사용하는 것도 인상을 나쁘게 하는 원인이 됩니다.

반대로 익숙하지 않은 경어의 무리한 사용으로 주어와 서술어가 복잡해지면 역효과입니다. 이 책에서는 실례가 되지 않을 정도의 간단한 경어 표현을 소개하고자 합니다. 참고해 주십시오.

(3) 메일의 특징을 반영한 매너를 지킬 것

메일을 열었을 때 화면 가득히 글자가 차 있으면 읽을 마음이 생기지 않습니다. 메일을 쓸 때는 대체로 한 줄에 30~35자 정도로 기술하도록 합니다. 또 한 단락이 끝날 때마나 한 줄씩 띄우면, 산뜻하고 보기 편한 화면이 됩니다.

다음으로 메일에는 간단한 텍스트 형식과 여러가지 장식 기능이 있는 HTML형식이 있습니다만, 비지니스의 경우에는 텍스트 형식으로 보내는 것이 상식입니다.

또 [기능의존문자]는 사용하지 않는 것이 원칙입니다. 기능의존문자라는 것은 상대방의 컴퓨터의 기종이나 OS에 따라 읽을 수 있거나 읽을 수 없는 문자를 말하는데, 읽을 수 없는 경우에는 글자가 깨져서 나옵니다. 반각 가타카나, 생략 문자, 단위 ((주),(유) cm、kg、№. 등), 다음과 같은 원 안의 쓰여진 숫자 (①、②…), 로마 숫자 (Ⅰ、Ⅱ…) 등이 여기에 해당합니다.

마지막으로 메일을 다 쓴 후에는, 아무리 급한 경우라도 송신하기 전에 다시 한 번 틀린 것이 없는지 읽어봅시다. 오자, 탈자, 변환미스(히라가나를 한자로 바꿀 때 의미가 다른 동음이의어를 선택하는 실수)가 많으면 상대방이 [대응이 공손하지 못하다, 부주의하다] 라고 평가해 버리기 때문입니다.

〈맺음말〉

용건을 다 쓴 후에는 맺은 말을 씁니다. 대체적으로 전형적인 문장을 사용합니다. 다음에 소개하는 문장이 가장 일반적인 맺음말입니다.

〈자신의 이름〉

자신의 이름은 본문의 처음과 마지막에 반드시 적습니다. 맺음말 밑에 성만 적는 것이 일반적으로, 메일의 처음에 이름을 적는 경우에는 수신자 명의 밑에 또는 인사말 밑에 [○○회사○○사업주 야마모토입니다] 와 같이 씁니다.

자주 거래를 하는 상대에게 보내는 메일은, 일일이 첫 부분에 이름을 적는 경우가 적지만 처음으로 메일을 보내는 상대, 그다지 자주 메일을 주고 받지 않는 상대의 경우에는 첫 부분에 이름을 적는 것이 예의라고 할 수 있습니다.

5. 서명

통상 메일의 끝에 송신자의 정보를 기록한 서명을 넣습니다. 서명은 당신의 소속 부서의 정보 뿐만 아니라 가볍게 선전하고 싶은 내용을 넣을 수 있는 공간이기 때문에 효과적으로 사용합시다. 메일 소프트에 서명을 등록하는 기능을 사용하면 편리합니다.

사내용 메일과 사외용 메일은 정보의 내용이 다르기 때문에 따로 만들어 둡시다.

Chapter 1 Business E-mail Basics

If you work at a company, chances are that you spend a lot of your time exchanging e-mail with coworkers and business contacts. Written communication in the Japanese business world used to be done solely through letters and other paper documents, but in recent years it has been increasingly handled through e-mail.

Since e-mail is a relatively new tool for business communication, the rules for its format and etiquette have not yet been firmly established like the customs for paper documents. Consequently, e-mail is employed somewhat haphazardly, as can be seen in how some people use it in situations where it would be more appropriate to communicate in person, through a letter, or by phone. Moreover, some people compose business e-mail using language that might be fine for corresponding with a friend, but is rude in a business context. Such poor writing habits can sometimes produce an e-mail that is nearly indecipherable to the recipient.

In order to be able to put e-mail to good use in a business environment, one first needs to have a grasp of the qualities that set it apart from other forms of communication. It's also important write in a style that takes into account those distinctive traits and follows the rules of etiquette.

Business situations where e-mail is effective

Business communication takes a variety of forms. Besides e-mail, information can be conveyed through such channels as meetings, letters, phone calls, and faxes. According to widely accepted business practices, the following situations are cases where e-mail is seen as an effective choice for communication.

- **Non-urgent matters:** E-mail is effective for communicating information on non-urgent matters, but not otherwise since there's no telling when the recipient will read the message. If you don't know whether the recipient will immediately check his or her e-mail inbox, then it's best not to convey urgent messages via e-mail. Instead, common sense dictates that pressing business be communicated by phone.
- **Non-confidential matters:** The use of e-mail should be limited to matters that are not critical to the company. Since e-mail passes through network servers, it is exposed to the risk of being read by snooping hackers. Therefore, it's not wise to e-mail critical company information that shouldn't be seen by unintended readers.
- **Day-to-day dealings:** E-mail is a convenient tool for taking care of everyday tasks, such as processing product orders or checking inventories. However, using it to express formal requests, gratitude, apologies, or other courtesies might make the sender seem unprofessional or lazy. In formal situations, communication is normally done in person or through a letter.
- **Simple matters:** E-mail should be used only to convey plain, straightforward matters. E-mail

is a not a method of real-time communication, so relying solely on it for complex negotiations or exchanges of opinion can lead to lost nuances, gaps in understanding, and other confusion. Intricate matters are communicated more effectively through meetings, rather than e-mail.

Basic format and etiquette

1. Addressee, CC, BCC

One of the biggest advantages of e-mail is that you can send information to multiple recipients in just one shot. The name of each addressee is entered in the "To:" line. If you want to send the message to others who are not the main recipients, you can use the CC (carbon copy) or BCC (blind carbon copy) fields. It's regarded as proper etiquette to respond to e-mails you receive, but it isn't necessary to send the reply to the people who were listed in the CC or BCC lines of the original e-mail. Addresses in the CC field are visible to all recipients of the e-mail, but BCC addresses are seen only by the original sender. The BCC function is used in situations where the BCC recipient's identity should be kept secret or is not relevant, such as when you want your boss to see an e-mail addressed to a business client.

When necessary, write the names of CC recipients along with the addressees' names at the top of the message.

2. Subject

When filling in the subject field, write a specific description that will allow the reader to immediately know what the e-mail is about. Most people receive a lot of e-mail every day, so they often rely on the subject line to judge the degree of importance or urgency of each message.

Long subject lines are hard to read and sometimes get cut off at the end, so try to keep the description from exceeding twenty characters. Use keywords to write the description. For example, if the e-mail concerns a particular meeting, you can make the subject line easier to understand by writing the name of the meeting, or by using such expressions as *Dai* X *kaigi* (meeting no. X) or *Kaigi enki* (meeting postponed).

Sometimes people send e-mail with a blank subject line, or with the same subject line of a previous message, even though the new message pertains to a different matter. However, such practices are frowned upon by the business community.

If you are sending an e-mail that you want the recipient to read immediately, it may be a wise idea to write words like *kinkyuu* (urgent) or *juuyou* (important) in the subject field. Of course, such expressions should be used only when the matter is really urgent or important. If you always label your e-mail with these words, then you will have a hard time getting others to read your messages right away.

3. Attachments

The attachment function is a handy tool for sending data, materials, or documents that would be too cumbersome to write out in the body of the e-mail. However, it is a breach of etiquette to send huge files in a single e-mail without consideration for the processing capacity of the recipient's computer environment. When you need to transmit a big attachment, you should break it up and send it via two or more e-mails. Also, keep in mind that the recipients might not be able to open certain files on their systems, so it's polite to check with them in advance, such as by sending an e-mail that says: X *ni kan-suru fairu o tenpu shitai no desu ga, pawaapointo no fairu o ookuri shite mo mondai arimasen deshou ka* (I want to send you a file regarding X, but is there any problem for you if the file is in PowerPoint format?).

E-mail attachments have the risk of infecting the recipients' computers with viruses, so you should run a virus scan on attachments before sending them, and include a short description of the attachment in the message, as in: X *ni tsuite, fairu o hitotsu tenpu shimashita. Fairumei*: Y.ppt (I am attaching a file concerning X. File name: Y.ppt).

4. Body

The body of an e-mail generally consists of the following text.
- Addressee's name (and CC recipient's name in some cases)
- Greeting
- Main message
- Closing
- Sender's name

《 Addressee's name 》

E-mail to people with whom the sender has frequent contact is usually addressed with just the recipient's name, followed by the honorific suffix *sama*. When writing to someone for the first time or to a person whom you rarely contact, you should write the name of the recipient's company and department along with his or her name (it's more polite to include the full name), as in: *Kabushiki Kaisha* X *Eigyoubu* Y *sama* (Mr./Ms. Y, Sales Department, X Inc.). However, this additional information can be omitted when replying to an e-mail.

When e-mail is carbon copied, it's courteous to include the CC recipient's name at the top, usually in parentheses: (CC: X *sama*).

《 Greeting 》

It is considered good manners to preface the main message with a short greeting. Normally, the greeting is not a long salutation like those found in business letters (such as: X *no sourou, kisha ni okaremashite wa...*), but it should be kept respectful despite its brevity. Different expressions are used depending on whether the e-mail is being sent to someone who works at the same company or someone at another company.

《 Main message 》

Next comes the e-mail's main message, which should be written in a manner digestible to the recipient. To do this, it's important to: (1) keep the message simple, (2) use business-like language, and (3) follow the etiquette for e-mail.

(1) Keep the message simple

The first step in writing an easy-to-follow message is to start by stating the purpose, as in: X *no ken de, meeru o ookuri itashimashita* (I'm e-mailing you with regard to X); *Kinou no miitingu no kekka o gohoukoku itashimasu* (I would like to inform you about the results of yesterday's meeting); or X *ni tsuite onegai shitaku, gorenraku itashimashita* (I'm contacting you to ask a favor regarding X). Normally, one e-mail should cover just one item of business.

Secondly, remember to write concisely, keeping in mind the 5 Ws and 3 Hs (who, what, when, etc.). Itemizing detailed information is a good way to make it easier to follow.

(2) Use business-like language

In the case of internal e-mail, simplicity and speed of response are generally emphasized over the use of honorific language and other courtesies. However, when sending e-mail to clients and other outside contacts, it's important to use polite language in order to avoid being rude to the recipient. Using casual, conversational language like that employed in e-mail to friends runs the risk of offending the recipient, so it's best to steer clear of such expressions. Along the same lines, you might create a negative impression if you pepper your e-mail with emoticons (smiley faces, etc.) or excessive exclamation points and question marks.

On the other hand, trying to wield unfamiliar honorific expressions can backfire by producing mixed-up grammar. This book presents simple yet sufficiently polite honorifics that you can use effectively in your e-mail.

(3) Follow the etiquette for e-mail

Anyone who opens up an e-mail that plasters the screen with text is likely to be discouraged from reading the message. A good rule of thumb for maintaining readability is to limit each line to somewhere around 30 to 35 characters. You can further tidy up the appearance of the message by inserting a line break between each item of thought.

E-mail can be formatted in either plain text or HTML, the latter of which allows various cosmetic touches to be added. However, plain text is the preferred format for business e-mail. Another rule is to avoid using platform-dependent characters, which are characters that can be read by only certain types of computers and operating systems. Such characters will come out garbled if the e-mail recipient's system doesn't support them. Examples of platform-dependent characters include: single-byte *katakana*, abbreviations/units (such as （株),（有), ㎝ , ㎏ , and №), circled numerals (①, ②,...), and double-byte roman numerals (Ⅰ, Ⅱ ,....).

Lastly, no matter if you're in a rush, always take a moment to read over your e-mail messages before sending them. E-mail filled with mistypes, omissions, and incorrectly converted *kanji* might make the reader think that you are slack and careless.

〈 Closing 〉

The message is capped off with a closing salutation that is usually some standard expression. Below are some of the closings in common use.

〈 Sender's name 〉

You should always include your name at the top or bottom of the message. Many people write just their surname after the closing. If you choose to put your name at the beginning, write it in a format like X *Kaisha* Y *Jigyoubu Yamamoto desu*, and position it below the addressee's name or after the greeting.

It is unusual to always write one's name at the beginning of e-mail sent to people frequently contacted, but it's considered more polite to do so when writing to someone for the first time, or to someone not e-mailed frequently.

5. Signature block

Business e-mail is often ended with the sender's signature block, which you can use not only to list your contact information, but also to subtly advertise some message that you want to get across. Most e-mail applications offer a convenient utility for creating automatic signature blocks. Since the information that ought to be included in a signature block differs between internal and external e-mail, you should create separate blocks for each type of e-mail.

第二章

実践編

カテゴリー **1** 依頼

1-1
カタログ送付の依頼

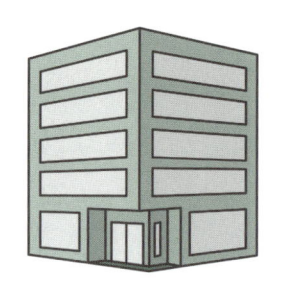

ポイント① 一度でも取引のある相手に使う挨拶の言葉。名前を名乗った後に付けるとよい。

件名：2008年度カタログ送付のお願い

ABC株式会社の王と申します。
①いつもお世話になっております。

弊社で取り扱いさせていただいている御社の製品シリーズですが、お客様にも大変好評をいただいております。
②つきましては、来年度も引き続き取り扱いさせていただきたく、お手数ですが2008年度の御社の製品カタログ一式を
③今月中にお送りいただけませんでしょうか。

④お忙しいところ恐縮ですが、よろしくお願いいたします。

ポイント② 前に述べたことの結果を言うときのつなぎ言葉。類）「については」

ポイント③ 期限は必ず書くように。ただし相手に失礼のない日数をとること。

ポイント④ 何か依頼するときは、相手に負担をかけて「申し訳ない」という気持ちを込めたつなぎ言葉を付けること。類）「恐れ入りますが」「ご迷惑をお掛けしますが」「厚かましいお願いですが」など。

バリエーション 1

見積もりの依頼

早速ですが、弊社では新たな製品の購入を検討しております。
つきましては、①下記の内訳でお見積もりをいただきたく存じます。
②記
品名：○○
数量：30個
②以上

ポイント①
→「下記」は下に記す、つまり下に書いているという意味。見積もり内容は依頼文の下に個条書きで別に書くこと。

ポイント②
→「下記」という言葉を文章で書いたら、必ず「記」と書いた下に詳しい内容を書くこと。内容が終わったら「以上」と書く。

バリエーション2

商品見本の依頼

まずは、御社の商品見本をお送りいただきたくご依頼申し上げます。商品に関する資料などがありましたら、③それらも併せてお願い申し上げます。

ポイント③
→ほかに一緒に送ってもらいたいものがあれば「それらも併せて」という言葉を使って同時に依頼すること。

練習問題

文中の（　　）内に入る語句として適当なものをA～Cから1つ選んでください。

1－「社員研修で貴社の工場を見学させていただきたく（　　　　　）。」
- ☐ A よろしいでしょうか
- ☐ B お願い申し上げます
- ☐ C お世話になっております

2－「注文数量などの詳細は（　　　　　）のとおりです。」
- ☐ A 下に書いた
- ☐ B 後から書く
- ☐ C 下記

解答解説

1 解答：B
「～いただきたくお願い申し上げます」は依頼のときに便利な文型なので覚えよう。

2 解答：C
「下記のとおり」もよく使う表現。文章で書くより個条書きにしたほうがわかりやすい内容の場合は、この言葉を使って個条書きにしよう。

語彙

日本語	英語	中国語	韓国語
弊社	our company	敝公司	본사 (자신의 회사)
御社	your company	贵公司	귀사
シリーズ	series	（产品）系列	시리즈
好評	well received	好评	호평
カタログ	catalog	商品目录	카다로그

カテゴリー 1　依頼

1-2

納期延期の依頼

ポイント①　相手に不都合なメールを送る場合は、「いつもお世話になっております」に加えて、日ごろの取引へのお礼などの文章を入れて、相手を気遣おう。

ポイント③　「～していただけますでしょうか」より「～していただけませんでしょうか」のほうが、「相手はNoというかもしれない」という話し手の気持ちが強い。

件名：「BF-300」納期延期のお願い

アカサタナ商会　大野様

いつも大変お世話になっております。
また、①日ごろより弊社の「BF-300」をご注文いただきありがとうございます。
さて、先週いただいていたご注文についてですが、
②恐れ入りますが、③今納期を1週間ほど延ばしていただけませんでしょうか。
④実は、生産ラインに先週トラブルが発生し、現在はもう復旧いたしましたが、当初の納期に間に合わせるには難しい状況です。
ご迷惑をお掛けして申し訳ございませんが、どうぞよろしくお願いいたします。

□□部品　村田

ポイント④　「実は」の後に理由を付け加えること。

ポイント②　納期の延期など、相手にとってうれしくないことを依頼する場合は、必ず「恐れ入りますが」「大変恐縮ですが」などのクッションワードを、依頼の前に付け加えること。

バリエーション 1

送金延期の依頼

①大変申し上げにくいのですが、3日後、12月25日の送金期日の延期をお願いできませんでしょうか。
年明けの1月10日までには②間違いなく送金いたしますので、なにとぞよろしくお願い申し上げます。

ポイント①
→「申し上げにくい」は「言いにくい」の謙譲語で、相手にとって都合の悪い依頼をするときや、自分の間違いを報告するときなどによく使う。

ポイント②
→「間違いなく～する」は、「必ず～する」と相手に約束する強い決意の表現。

バリエーション 2
会議日程変更の依頼

③誠に勝手ながら、会議日程を1週間後に④変更していただきたく、よろしくお願い申し上げます。

ポイント③
→自分の都合によるお願いだとわかっているが……、という依頼をするときの、切り出し（文章を始めるとき）の表現。

ポイント④
→書き言葉で「〜いただきたい」と「お願いします」などの語をつなぐときは、「〜いただきたく〜」と末尾を変化させること。便利な表現なので覚えよう。

練習問題

文中の（　）内に入る語句として適当なものを A〜C から1つ選んでください。

1 －「つきましては、ご注文の納品を1週間ほど（　　　　　）。」
- ☐ A　お待ちいただけませんでしょうか
- ☐ B　待ってくれますか
- ☐ C　お待ちいただきたく

2 －「誠に（　　　）お願いですが、納期を8月1日まで延期願えますでしょうか。」
- ☐ A　どうしようもない
- ☐ B　心苦しい
- ☐ C　息苦しい

解答解説

1 解答：A
Bの「くれますか」は直接的で、丁寧さが足りない。Cは間違いではないが、相手と場合を選ぶので、正しく使うのは難しい。「お待ちいただきたく、お願い申し上げます」と省略せずに使うこと。

2 解答：B
この場合、「考えると自分も辛い」お願いという意味なのでB。Cは文字どおり「息が苦しい」という意味。

語彙

日本語	英語	中国語	韓国語
納期	delivery date	交货期	납기
生産ライン	production line	生产线	생산라인
トラブル	trouble	故障、問題	트러블, 문제
復旧	restoration	恢复正常	복구
当初	original	当初	당초
勝手	(have) one's way	随意、任性	제 멋대로 임

カテゴリー **1** 　**依頼**

1-3

資料送付の催促

ポイント①　同じ件名でメールを送るのが2度目の場合、件名の後ろに（再送）と付けると、相手にわかりやすい。

件名：品番「U-□□」資料送付のお願い①（再送）

森本様

いつもお世話になっております。

先日お願いしておりました「U-□□」資料の送付についてですが、その後どのようになりましたでしょうか。
②本日10時現在、まだこちらで受け取りを確認できておりません。お手数ですが、ご確認のうえご連絡いただけますようお願いいたします。
なお、こちらも少々業務に③支障をきたしておりますので、できれば今週末④必着で送付願えますでしょうか。どうぞよろしくお願いいたします。（後略）

ポイント②　「本日現在」「本日〜時現在」など、こちらが「いつ」確認して言っているのかをはっきりさせること。

ポイント④　その日に必ず到着する（させる）という意味。例）10日必着、今月末必着

ポイント③　「〜に支障をきたす」は、何か障害があって物事がうまくいかない状態になること。

バリエーション 1

見積もりの催促

先日お願いしていた見積もりの件ですが、あれから何のご連絡もいただけないままですが、①その後いかがでしょうか。
お忙しい中、申し訳ございませんが、②至急ご連絡いただけますようお願い申し上げます。

ポイント①
→相手側の状況が今どうなっているのか聞きたいときの、丁寧で直接的でない表現。会話の中でも使えるので覚えておくと便利。

ポイント②
→大急ぎでという意味。もっと強調したい場合は「大至急」を使う

バリエーション 2
送金遅延の催促

③申し上げにくいことですが、御社からの送金が④お約束の期日を過ぎても、いまだ確認できておりません。
⑤何か事情がおありかもしれませんが、大至急ご対応いただきますよう、お願いいたします。

ポイント③
→言いにくいことを相手に言うときに付けるクッションワード。

ポイント④
→「期日」は決められた期限の日のこと。「期限が過ぎているのにまだ〜ない」という意味でよく使う表現。

ポイント⑤
→相手が約束を破ったときなどによく使う、相手のできなかった状況を思いやるクッションワード。

練習問題

文中の（　）内に入る語句として適当なものを A〜C から1つ選んでください。

1 −「お振り込みについてですが、本日（　　　）まだご入金いただいておりません。」
- [ ] A 至急
- [ ] B 現在
- [ ] C 期限

2 −「（　　　）のうえ、至急ご連絡くださいますようお願い申し上げます。」
- [ ] A ご確認
- [ ] B ご迷惑
- [ ] C ご連絡

解答解説

1 解答：B
「本日現在」は決まり文句。今日確かに確認している、と強調している。

2 解答：A
「ご確認のうえ、〜ください／いただけますでしょうか」はよく使う表現

語彙

日本語	英語	中国語	韓国語
再送	resending	再次发送	재송, 다시 보냄
支障	impediment	障碍、影响	지장
必着	must arrive by	确实送到	필착
見積もり	estimate, quotation	估价单	견적
期日	deadline	限期内	기일
事情	circumstances	情况	사정

カテゴリー 2　問い合わせ

2-1
在庫状況の問い合わせ

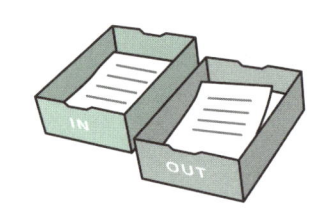

ポイント①　「株式会社」の略。自分の会社について書くときは使ってもいいが、相手の会社を書くときは省略すると失礼なので、ちゃんと「株式会社」と書くこと。

件名：「A-□□」在庫についての問い合わせ

□□機械　三井様

①（株）ABC電器の木村です。
いつも大変お世話になっております。

早速ですが、「A-□□」の在庫について②お問い合わせいたします。
つきましては至急100ケース追加注文したいのですが、
在庫はございますでしょうか。

急なお願いで大変恐縮ですが、③折り返し　④ご回答よろしくお願いいたします。

ポイント③　問い合わせに対してすぐに、という意味。

ポイント④　相手から返事をもらうときの表現。どんな問い合わせにも使える。

ポイント②　どんな内容の問い合わせにも使える便利な表現なので、覚えよう！

バリエーション 1
納品時期の問い合わせ

①貴社製品「BQ-□□□」の納期について②ご照会いたします。
今月中に100個納入していただくことは可能でしょうか？

ポイント①
→相手の会社のこと。書き言葉では「貴社」が、話し言葉では「御社」がよく使われる。

ポイント②
→「照会」は「問い合わせ」と同じ意味のビジネス用語。

バリエーション 2

商品価格の問い合わせ

貴社商品カタログ③P23「PL89□□」の卸価格は④3,900円／個ですが、こちらと取引していただく場合の価格について、⑤念のためもう一度確認させていただきます。

ポイント③
→「23ページ」ということ
ポイント④
→「1個3,900円」と同じ。
ポイント⑤
→わかっていることを、間違いがあるといけないので、もう一度確認するときに使う。

練習問題

文中の（　）内に入る語句として適当なものを A ～ C から1つ選んでください。

1 ―「さて（　　　）ですが、商品の在庫状況について照会させていただきます。」
　　□ A　早速
　　□ B　急速
　　□ C　急ぎ

2 ―「商品価格について（　　　）いたします。」
　　□ A　詰問
　　□ B　尋問
　　□ C　お尋ね

解答解説

1　解答：A
「早速ですが」は、挨拶などを省略して、そのまま用件を言う場合に付けるクッションワード。前に「さて」を付けて「さて、早速ですが……」とする場合も多い。

2　解答：C
「お尋ねいたします」は、問い合わせのときの便利な表現。もっと丁寧に言いたいときは、「お尋ね申し上げます」とするとよい。

語彙

日本語	英語	中国語	韓国語
在庫	inventory	库存	재고
追加	additional, extra	追加	추가
納期	delivery date	交货期、交付期	납기
納入	delivery	上缴、交纳	납입
カタログ	catalog	商品目录	카탈로그
卸価格	wholesale price	批发价	도매가격

カテゴリー2　問い合わせ

2-2

商品未着の問い合わせ

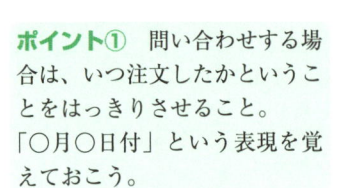

ポイント①　問い合わせする場合は、いつ注文したかということをはっきりさせること。「〇月〇日付」という表現を覚えておこう。

ポイント②　商品がたくさんある場合は、本文では「下記」としておいて「記」の下にまとめて書くこと。

件名：8月4日注文分についての問い合わせ

□□食品　野中様

いつもお世話になっております。

さて、先日①8月4日付で注文させていただいた②下記の商品が、まだ届いておりません。
③当初の予定では、納期は9月1日になっていた④と思われます。
お手数ですが至急お調べのうえ、9月15日までにご回答くださるようお願いいたします。

記
1. BZ-□□□　　3,000ケース
2. AZ-□□□　　2,000ケース　（後略）

ポイント③　「当初の」は、最初のと同じ意味。ビジネスなど改まったときによく使う表現。

ポイント④　「〜と思います」の遠回しな表現。自分が正しくて相手が間違っていると思う場合でも、「〜と思われます」と言うことで柔らかな表現になる。

バリエーション1
送金未着の問い合わせ

今月10日予定の貴社からのご送金が、まだこちらで確認できておりません。
①何かの手違いとは思いますが、早急にご調査の上、②ご一報くださいますようお願い申し上げます。

ポイント①
→相手のミスを指摘した後によく使われる表現。相手のミスがわざとではない、という前提。

ポイント②
→あまり複雑ではない問い合わせ内容の返事をもらうときに使う。

> バリエーション2

メール未着の問い合わせ

先日こちらからお送りしたメールにお返事いただくはずでしたが、その後③どうなりましたでしょうか。④いま一度確認させていただきたく、メールさせていただきました。折り返しのお返事お待ち申し上げております。

ポイント③
→何かの物事の経過や流れを聞きたいときに使う。もっと丁寧に言いたい場合「いかがなりましたでしょうか」と言ってもよい。

ポイント④
→「いま一度」は「もう一度」「再度」と同じ意味。少し改まった印象を与える。

練習問題

文中の（　）内に入る語句として適当なものを A〜C から1つ選んでください。

1 –「恐れ入りますが、（　　　　）の上、ご一報くださるようお願いいたします。」
　　☐ A お調べ
　　☐ B お願い
　　☐ C ご指摘

2 –「商品の発送状況についてなのですが、その後（　　　　）。」
　　☐ A いかがでしょうか
　　☐ B どうかしら
　　☐ C どうですか

解答解説

1　解答：A
　「お調べのうえ」「ご調査の上」は同じ意味。調べた後で、ということ。

2　解答：A
　A、B、Cどれも似た意味だが、A「いかがでしょうか」が最も丁寧でふさわしい。

語彙

日本語	英語	中国語	韓国語
ケース	case, box	箱、包装箱	상자, 케이스
手違い	mistake	差错，弄错	착오
一報	contact, notification	通知、通知一下	(간단한)연락
いま一度	again	再一次	다시, 재차
発送	sending	寄出、发送	발송

カテゴリー 3　確認

3-1 資料の誤記や誤字の確認

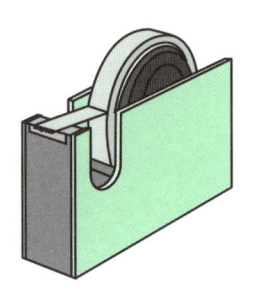

ポイント②　自分の記憶を相手に伝えるときは「～ではなかったでしょうか」と言うと、相手を直接否定しないので失礼にならない。

ポイント①　確認したいことが複数あるときは、「いくつか」を付けるとよい。

件名：講演会パンフレット原稿についての確認

□□株式会社広報部　多田様

いつもお世話になっております。

早速ですが、先日いただいた講演会のパンフレット原稿の記載内容について①いくつか確認させていただきたい点がございます。
講演者氏名が「本村」様になっておりますが、講演されるのは確か「木村」様②ではなかったでしょうか。また、講演会開始時刻が午後1時とありますが、午後1時半開始③とお聞きしていたように思います。
④こちらの認識違いかもしれませんが、念のためお伺いいたします。
（後略）

ポイント④　相手の間違いを指摘するメールにならないよう、こういうふうに「自分が間違っているかもしれない」という意味のクッションワードを付けるとよい。

ポイント③　これも自分が聞いて覚えている内容を伝えるときの、相手に失礼にならない表現。「～と聞きました」は少し直接的なので言わないこと。

バリエーション 1
専門用語の確認

現在、受注作業で車の車種を入力しております。先日の受注伝票にあった①「ミルタⅡ」というのは車種でしょうか。こちらの②車種リストにはなかったので、お手数ですが教えていただけますでしょうか。

ポイント①
→確認するときは、だいたい答えの見当をつけて聞くとよい。「～というのは何でしょうか」とは、あまり聞かないように。

ポイント②
→聞く前に一応自分でも調べてみて、その調べた結果を書いておくと、相手に伝わりやすい。

バリエーション 2

読めないFAX文字の確認

本日いただいたFAXですが、③こちらのファクス機の調子が悪かったのか、ちょうど2行目の辺りの字がはっきり読めなくなっていました。お手数ですが、④その部分だけで結構ですので何と書いてあったか教えていただけますでしょうか。

ポイント③
→問題が起きた原因がどちらのせいかわからないときは、とりあえず、自分側の理由かもしれないということにしておくこと。

ポイント④
→また全部教えてもらうのではなく一部だけなど、相手にいちばん迷惑の掛からない方法で確認すること。

練習問題

文中の（　）内に入る語句として適当なものを A～C から1つ選んでください。

1 ―「送料について（　　　）もう一度確認させていただきます。」
　　☐ A　わざわざ
　　☐ B　念のため
　　☐ C　御社のために

2 ―「この原稿にある「明石」というのは地名（　　　）、それとも人の姓でしょうか。」
　　☐ A　でございます
　　☐ B　でしょうね
　　☐ C　でしょうか

解答解説

1　解答：B
「念のため」は、一応は理解していることを、間違いのないようにもう一度聞いたりするときに使う。

2　解答：C
「AかBか」を丁寧に聞きたいときは、「Aでしょうか、それともBでしょうか」というフレーズを覚えておくと便利。

語彙

日本語	英語	中国語	韓国語
講演会	lecture	讲演活动	강연회
パンフレット	brochure	小册子	팜플렛
原稿	manuscript	底稿、草稿、原文	원고
受注	order	接受订货	수주
伝票	slip, voucher	传票、联单	전표
車種	(car) model	汽车的种类	차종

カテゴリー 3　**確認**

3-2
案内の不十分な点の確認

ポイント①　もう一度聞くときには「改めて」を前に付けると、相手に、こちらが聞いたのを忘れていると思われなくてすむ。

明日の待ち合わせ場所について

□□商事　鈴木様

いつもお世話になっております。

明日ご一緒させていただく大阪出張についてなのですが、待ち合わせ場所について①改めて確認させていただきたい点がございます。
②朝7時半に東京駅の新幹線改札でということでしたが、どの辺りで待てばいいでしょうか。③東京駅に不案内なもので、④細かいことまでお聞きして申し訳ございません。
（後略）

ポイント②　「～ということでしたが」と、以前聞いた確認内容を最初に付け加えるとよい。

ポイント③　「不案内」は詳しくないという意味。

ポイント④　自分にとっては重要なことでも、相手にとっては聞かれると面倒なことも多いので、「細かいこと＝ささいなこと」を聞いて申し訳ない、という気持ちを表す。

バリエーション 1
ドレスコードの確認

会社全体の新年会についてですが、どのような服装をして行けばいいでしょうか。ホテルで行われるということで何を着たらいいかわからず、悩んでいます。
毎年、皆さんどのような服装で参加されているか、①参考までに②お聞かせいただけるとうれしいです。

ポイント①
→この言葉を付け加えることで、相手に答えを求めているのではなく参考にする例を求めている、ということがわかるので、相手が気軽に答えやすくなる。

ポイント②
→このような内容の確認の場合、相手に答える義務はないので、「お聞かせいただければ幸いです」など、答えてくれたらうれしい、というひと言を付けるとよい。

バリエーション2
面会時間の確認

③明後日、貴社オフィスを訪問させていただく時間についてですが、④以前お伺いしていたとおり午後2時でよろしいでしょうか。
時間の変更など、⑤何かございましたらご一報ください。

ポイント③
→「あさって」の書き言葉。
ポイント④
→前に相手から聞いていた情報の前に付ける言葉。
ポイント⑤
→「ご一報ください」は簡単な情報をもらうこと。この場合、変更や中止など。

練習問題

文中の（　）内に入る語句として適当なものをA〜Cから1つ選んでください。

1－「皆さんのご意見など、お聞かせいただければ（　　　）。」
　　☐ **A** 幸いです
　　☐ **B** ちょうどいいです
　　☐ **C** 感激です

2－「最終的な待ち合わせ場所を（　　　）いただけますでしょうか。」
　　☐ **A** 最終章
　　☐ **B** 最後通牒
　　☐ **C** ご一報

解答解説

1　解答：A
「お聞かせいただけるとうれしいです」「お聞かせいただければ幸いです」は決まり文句。

2　解答：C
「ご一報」は、到着した・しない、時間、場所、など簡単に返事できることを聞くときに使う。

語彙

日本語	英語	中国語	韓国語
待ち合わせ	appointment	等候会面	약속하여 만나기로 함
新幹線	bullet train	新干线	신칸센
改札	ticket gate	检票口	개찰구
ドレスコード	dress code	正式场合穿的礼服	복장 규정
新年会	New Year's party	新年聚会	신년회
オフィス	office	办公室	사무실, 오피스

カテゴリー3 確認

3-3
支払い方法の確認

ポイント① 前に一度聞いたという事実をこちらはわかっている、ということをまず伝えよう。

件名：支払い方法についての確認

□□コンサルティング経理部　前田様

いつもお世話になりありがとうございます。

①以前一度お聞きしたと思いますが、②間違いがあるといけませんので、改めてお支払い方法について教えていただけますでしょうか。申し訳ありませんが、③こちらの経理処理の都合上、④できましたら12月10日までにお知らせいただければと思います。

どうぞよろしくお願いいたします。

□□システム　滝沢

ポイント② 二度同じことを聞くときによく使われるフレーズ。

ポイント③ どうしてその日が期限なのか、相手にわかりやすいように理由を言うとよい。

ポイント④ 「できれば○月○日までに」でもよい。

バリエーション1
納品先の確認

納品先について①確認させていただきたい点がございます。商品は、御社の横浜倉庫と成田倉庫のどちらに納入させていただけばいいでしょうか。

ポイント①
→この場合の「点」は「確認したいこと」と同じ意味。

バリエーション 2
発送方法の確認

商品の発送について②<u>一部不明な点がありますので</u>、再度確認させていただきます。商品は御社倉庫に7月1日到着予定ですが、7月3日の上海行きの船に③<u>載せていただくことは可能でしょうか</u>。

ポイント②
→わからないのは全部ではなく「一部分」だけ、と言うほうがよい。

ポイント③
→「～していただくことは可能でしょうか」は、できるかできないかを丁寧に聞くときの便利な表現。

練習問題

文中の（　）内に入る語句として適当なものを A～C から1つ選んでください。

1－「恐れ入りますが、再度確認させていただきたい（　　）がございます。」
- ☐ A　いくつ
- ☐ B　一部
- ☐ C　点

2－「支払い方法について（　　）不明なところがあるのですが……。」
- ☐ A　三部
- ☐ B　一部
- ☐ C　全部

解答解説

1　解答：C
「確認させていただきたい点が（いくつか／一部）ございます。」とも言える。

2　解答：B
「(数字)部」は、書籍や新聞などを数える言葉でもある。

語彙

日本語	英語	中国語	韓国語
経理	accounting	財务	경리
処理	processing	处理	처리
納品	delivery	进货	납품
倉庫	warehouse	仓库	창고
納入	delivery	交纳、上缴	납입
発送	sending	寄出	발송

カテゴリー4　回答

4-1
在庫状況の回答

ポイント② 別の誰かから聞いた答えを相手に伝えるときは、答えの後に「〜とのことです／でした」を付けることが多い。

ポイント① 回答するときによく使う一般的な表現。回答する内容の前に付けるとわかりやすい。

件名：「BT-□□」在庫状況について

株式会社○○　野中様

先日はご注文ありがとうございます。
お問い合わせいただいた在庫状況について、①ご回答申し上げます。
工場からの連絡によると、本日現在200台でしたらすぐにご用意できる②とのことです。
ですので、③最短では、明後日の水曜日に工場発、今週金曜日には納品可能です。

④よろしくご検討いただけますよう、お願い申し上げます。

高木

ポイント③ 納期などで相手が急いでいると思われる場合、こちらからいちばん短いパターンを教えてあげるとよい。

ポイント④ 相手の最終回答を待つ場合によく使う表現。

バリエーション1
価格の回答

5月22日付でお問い合わせの商品価格につきましては、①現時点で1台390,000円となっております。来月の新製品発売後は価格も若干変わってくるかと思いますが、②その旨ご了承ください。

ポイント①
→価格など時期によって変わる場合もあるときは、「いつの時点」での回答かをはっきり書いておくとトラブル防止になる。

ポイント②
→「そのことをわかっておいてください」という意味。この先起こる可能性のあることについて確認したいときによく使う。

バリエーション 2
納期の回答

早速在庫を調べましたところ、最短納期は③以下のとおりです。
1．BD-300　　20台　　6月1日
2．DX-400　　35台　　6月15日
④以上、取り急ぎご回答申し上げます。

ポイント③
→回答することがたくさんあるときは、「以下のとおりです」の後に、個条書きにすること。

ポイント④
→とりあえず急いで用件の回答だけをメールする場合は、最後の一文に「取り急ぎ」という言葉を入れるとよい。

練習問題

文中の（　）内に入る語句として適当なものを A〜C から1つ選んでください。

1－「納品は7月頭になると思われますので、その（　　　）ご了承ください。」
　　☐ **A** 話
　　☐ **B** 旨
　　☐ **C** 事

2－「価格の件、よろしく（　　　）いただけますよう、お願い申し上げます。」
　　☐ **A** ご計算
　　☐ **B** お話し合い
　　☐ **C** ご検討

解答解説

1　解答：**B**
　意味だけ見るとどれも正解のように思えるが、「その旨ご了承……」はビジネス上よく使われる決まり文句なので覚えよう。

2　解答：**C**
　何かについて相手に考えてもらうときは「ご検討」という言葉を使うのがいちばん間違いがない。

語彙

日本語	英語	中国語	韓国語
在庫	inventory	库存	재고
検討	consideration	研究	검토
パターン	pattern	方式（意译）	패턴
若干	a little	若干	약간
トラブル	trouble	问题	트러블, 문제
個条書き	itemized	分条写	항목별로 씀

カテゴリー **4**　回答

4-2 商品未着問い合わせへの回答

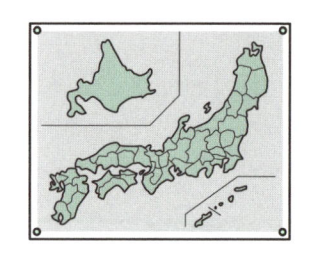

ポイント①　問い合わせに対してすぐに対応したことを表すために「早速」という言葉を入れるとよい。

件名：一部商品の未着について

○○株式会社　中川様

いつも大変お世話になりありがとうございます。

先日のメールでご指摘いただいた一部商品の未着についてですが、①早速調査いたしましたところ、弊社から配送会社への連絡ミス②によるものと判明いたしました。
③こちらの不手際で商品の到着が遅れまして大変申し訳ございません。

メールで大変恐縮ではございますが、④お詫びかたがたご回答申し上げます。

武田

ポイント②　調査などによって新しくわかったことの後ろに付けて使う表現。

ポイント③　こちら側に少しでもミスがあった場合に、よく使われるクッションワード。

ポイント④　「〜かたがた〜」は「〜するのと一緒に〜」という意味。この場合は、お詫び＋回答ということ。

バリエーション 1
送金未着問い合わせへの回答

経理処理の〆日の関係上、そちらへの送金は来月25日になる①とのことです。
②事前にご連絡すべきところを、大変申し訳ありませんでした。

ポイント①
→他の部署や別の人から聞いた回答を相手に伝えるときに使う。

ポイント②
→「事前にご連絡すべきところを」の後には「連絡せずに」が省略されている。

バリエーション2
メール未着問い合わせへの回答

今回のメール未着ですが、どうやら弊社のファイアウォールが社外に発信するメールを自動ブロック③してしまっていたようです。
私の不注意で失礼いたしました。④早速メールを再送させていただきました。

ポイント③
→自分はそのつもりではなかったのに、起きてしまったよくない出来事について言うときに使う表現。

ポイント④
→すぐに解決できるようなことなら、解決済みにしてから回答すると印象がよい。

練習問題

文中の（　）内に入る語句として適当なものを A～C から1つ選んでください。

1－「先日の未入金についてですが、弊社の送金ミス（　　　　）と判明しました。」
- □ **A** によるもの
- □ **B** になるもの
- □ **C** であるもの

2－「御社に送るはずの請求書を、こちらの手違いで他社へ送付（　　　　）ようです。」
- □ **A** である
- □ **B** になってしまった
- □ **C** してしまった

解答解説

1　解答：A
「(原因)による」で、何が原因かを表す。この場合送金ミスが原因だ、という意味。

2　解答：C
「～てしまった」で「そのつもりではないのにそうなってしまった」ということ。

語彙

日本語	英語	中国語	韓国語
指摘	pointing out	指南	가르침을 받음, 지적
未着	not arrived	尚未到达	미착, 아직 도착하지 않음
連絡ミス	error in contacting	联络失误	연락 미스,잘못 연락함
〆日	closing/settling date	截止日期	마감일
ファイアウォール	firewall	病毒防火墙	파이어월
ブロック	blocking	挡、截、封锁	블록(하다), 막음

カテゴリー 5　通知（社外）

5-1
資料送付の通知

ポイント①　通知メールの件名は「～のお知らせ」が一般的。

ポイント②　何かを郵送する場合、どこの運送業者を使ったかも併せて知らせると親切。

件名：①資料送付のお知らせ

システム商事　後藤様

いつも大変お世話になっております。
ABC株式会社　田中です。

先日ご依頼の資料一式を本日②〇〇便で発送いたしましたので、③よろしくご査収ください。
来週半ばにはそちらにお届けできるかと思います。
④何かご不明な点がありましたら、いつでもお問い合わせください。

今後ともどうぞよろしくお願いいたします。

ポイント③　相手に何かを受け取ってもらう場合によく使う決まり文句。メールや文書で使われることが多いので、覚えておくと便利。

ポイント④　資料などを送った場合、相手が質問しやすいようにこの決まり文句を最後に付け加えるとよい。

バリエーション 1
商品出荷の通知

①4月9日にご注文いただきました「CR-□□」300台、②本日発送させていただきました。
お届けは今週末ごろの予定です。

ポイント①
→出荷通知は、「いつ注文の、何を、いくつ」送ったかをはっきり書くこと。

ポイント②
→商品などを送ったときの決まり文句。書き言葉では「今日」ではなく「本日」を使うこと。

バリエーション 2
送金の通知

先月請求書分の代金ですが、③昨日4月15日付でご指定口座に送金いたしました。
お手数ですが、④ご確認よろしくお願いいたします。

ポイント③
→送金などは「いつ」「どこに」送ったかをはっきり書くこと。日付を書くことで相手側も調べやすい。

ポイント④
→きちんと届いているか相手に確認してほしいときの決まり文句。

練習問題

文中の（　）内に入る語句として適当なものを **A～C** から1つ選んでください。

1 —「本日商品を発送いたしましたので、（　　　　）のほどよろしくお願い申し上げます。」
- ☐ **A** ご査収
- ☐ **B** お調べ
- ☐ **C** お受領

2 —「ご依頼のあった請求書ですが、（　　　　）発送させていただきました。」
- ☐ **A** 明日
- ☐ **B** 今日
- ☐ **C** 本日

解答解説

1　解答：**A**
「査収」はよく調べて受け取る、という意味。「ご査収のほど～」も決まり文句。

2　解答：**C**
書き言葉では「今日」でなく「本日」を必ず使うこと。

語彙

日本語	英語	中国語	韓国語
査収	check and receive	查收	잘 조사해서 받음
運送業者	forwarder, shipper	运输公司	운송업자
出荷	shipment	出货，出厂	출하
指定口座	designated account	指定帐户	지정계좌

カテゴリー 5　通知（社外）

5-2 価格値上げの通知

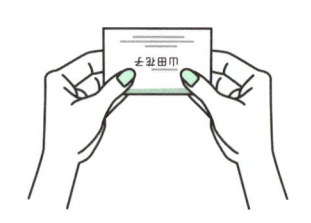

ポイント①　値上げなどの相手がうれしくないことを通知するときは、件名にはそのまま書かないほうがよい。

ポイント③　「（日付など）より」で「いつから」を表す。

件名：① 「SR800」商品価格変更のお知らせ

○○電機株式会社　村上様

いつもお取引いただきありがとうございます。

さて、このたび弊社商品「SR800」の価格を変更することとなりました。
② 今月末をもちまして現在の価格は終了となり、③ 来月より1台につき5,800円の値上げをさせていただきます。
④ 最近の原油価格の高騰で、弊社の努力だけでは対応しきれなくなった次第です。
何とぞご理解いただきたく、ご了承ください。

（株）□□部品　井上

ポイント②　「（日付など）をもちまして」で、「いつまで」を表す。

ポイント④　「～次第です」は、どうしてそうなったかという流れを説明するときに使う。

バリエーション 1
納期延期の通知（商品）

7月3日納期の「TU008」についてですが、① 約1週間遅れでお届けできる見込みです。
弊社工場のラインが一時ストップした② ことにより納期が遅れ、大変ご迷惑をお掛けしました。

ポイント①
→「見込み」は今のところの予定。
ポイント②
→「～ことにより」は原因を言うときによく使う表現。

> バリエーション2
納期延期の通知（添付ファイル）

ご依頼の文書ファイルですが、終日弊社のシステムダウンでメール送信ができず、③先ほどようやく復旧した次第です。お約束の納期に間に合わずご迷惑をお掛けした④うえに、ご連絡が遅れましたことお詫び申し上げます。

ポイント③
→「さっきやっと」と同じ意味だが、書き言葉のときはこちらを使うように。

ポイント④
→相手に不都合なことを2つ伝えるときは「〜うえに、〜」と言う。

練習問題

文中の（　）内に入る語句として適当なものを A〜C から1つ選んでください。

1－「材料の値段が上がったので、弊社も値上げに踏み切った（　　　）です。」
- A ところ
- B 次第
- C 経緯

2－「材料が値上げになった（　　　）、弊社も値上げに踏み切ることになりました。」
- A ことにより
- B 原因で
- C うえに

解答解説

1　解答：B
そうなった理由を説明するのは「〜次第です」。

2　解答：A
「〜ことにより」で、そうなった理由・原因を表す。

語彙

日本語	英語	中国語	韓国語
値上げ	price raise	涨价	(가격)인상
原油	crude oil	原油	원유
高騰	rise	暴涨	급등
次第	circumstances	情况	사정
終日	all day	整天、终日	하루 종일
復旧	restoration	恢复正常、恢复原状	복구

カテゴリー **5**　通知（社外）

5-3

休日の通知

ポイント②「～に当たる」は、それに当てはまるという意味。

ポイント①「～のでお知らせいたします」は通知のときの決まり文句なので覚えておくと便利。

件名：今年の旧正月休暇の日程について

○○コンピュータ・ジャパン　大西様

いつもお世話になっております。

さて、中国支社の今年の①旧正月休暇の日程が決まりましたのでお知らせいたします。
今年は②2月6日が旧正月の元日に当たりますので、2月6日～12日まで中国国内各支社は③お休みをいただくことになりました。

休暇中はご迷惑をお掛けいたしますが、④何とぞご了承くださいますようよろしくお願い申し上げます。

王

ポイント④　了解や許可を求めるときによく使う表現。

ポイント③「休みます」ではなく「お休みをいただくことになりました」とするほうが丁寧な印象。

バリエーション1
祝日の通知

来週の①就業日についてご連絡いたします。
来週月曜日は日本の祝日に当たりますので、弊社も休業日となります。
②何かとご不便をお掛けしますが、どうぞよろしくお願いいたします。

ポイント①
→「～についてご連絡いたします」は通知のときの一般的な表現。

ポイント②
→通知の内容が相手にとって便利なことではないときによく使うクッションワード。ひと言付けると印象がよい。

バリエーション 2

就業時間変更の通知

アメリカ支社は7月1日よりサマータイムの開始で、就業時間が8時から4時半となっております。お手数ですがお間違えのないようよろしくお願い申し上げます。
③取り急ぎ、就業時間変更のお知らせまで。

ポイント③
→比較的親しい取引先や、社内へのメールでは、このように「取り急ぎ〜まで」という一文を最後の挨拶の部分でよく使う。

練習問題

文中の（　）内に入る語句として適当なものを A〜C から1つ選んでください。

1 −「来月10日はこちらの祝日に（　　　）ので、お休みをいただきます。」
　　☐ A 当たります
　　☐ B なった
　　☐ C 休みます

2 −「11月1日（　　　）冬時間の適用で、始業時間が1時間遅くなりますのでご注意ください。」
　　☐ A に
　　☐ B では
　　☐ C より

解答解説

1　解答：A
　　10日が祝日だということなので、「〜に当たります」を使うのが正解。
2　解答：C
　　11月1日から、という意味なのでCが正解。

語彙

日本語	英語	中国語	韓国語
旧正月	Chinese/Lunar New Year	春节	구정
元日	first day of the year	元旦	신정
休暇	vacation	休假	휴가
祝日	public holiday	节日	경축일
不便	inconvenience	不便	불편
適用	applicable	适用	적용

カテゴリー 6　案内（社外）

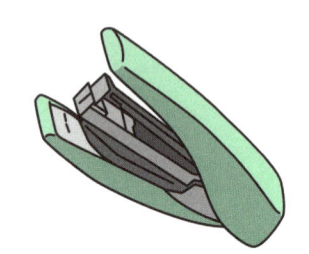

6-1
展示会の案内

ポイント①　「～のご案内」は案内メールの一般的な件名。「ご」を忘れないように。

件名：①展示会のご案内

東京□□販売株式会社　中野様

○○株式会社　広報部　加藤と申します。

②平素は弊社とお取引いただきありがとうございます。
さて、今年も春の展示会を下記のとおり③開催することとなりました。
お忙しいところ恐れ入りますが、④何とぞお越しくださいますようお願い申し上げます。

（記省略）

ポイント②　「平素」は普段という意味。ビジネスメールの中でも特に改まった表現。

ポイント③　「開催します」よりも丁寧で改まった印象を与える表現。

ポイント④　「何とぞ」は「どうか」の丁寧な表現。

バリエーション 1
就職説明会の案内

来月5日に貴大学で①就職説明会を実施いたしますので、②その旨学生の皆様にお知らせ願います。説明会資料は添付ファイルでお送りしますので、掲示板などへの掲示をよろしくお願いいたします。

ポイント①
→「実施」は「行う」という意味。
ポイント②
→「その旨～へお知らせ願います」は、ほかの人にも案内を知らせてほしいときに使う。

バリエーション2

新商品発表の案内

来月いよいよ弊社の秋の新商品が発売されることとなりました。つきましては、③発売に先立ち新商品の発表会を下記のとおり行います。
④皆様お誘い合わせの上、お気軽にご来場ください。

（記省略）

ポイント③
→発売の前に、と同じ意味。

ポイント④
→「お誘い合わせ」は「お互いに誘って一緒に」ということ。

練習問題

文中の（　）内に入る語句として適当なものを A〜C から1つ選んでください。

1 -「（　　　　）はお取引いただきありがとうございます。」
- □ A　いつも
- □ B　普段
- □ C　平素

2 -「秋の就職相談会を下記のとおり（　　　　）いたします。」
- □ A　実施
- □ B　相談
- □ C　催し

解答解説

1　解答：C
　　A、Bとも意味は合っているが、ビジネスメールの場合Cが正解。
2　解答：A
　　「相談会を行う」という意味なので、Aが正解。

語彙

日本語	英語	中国語	韓国語
広報	public relations	宣伝、報道	홍보
平素	always	平常、素日	평소
展示会	exposition, trade show	展示会、展览会	전시회
実施	holding	実施	실시
掲示板	bulletin board	告示栏、掲示牌	게시판
お気軽に	feel free to	轻松，精神放松	부담 없이, 가벼운 마음으로

カテゴリー 6　案内（社外）

6-2
新商品研修の案内

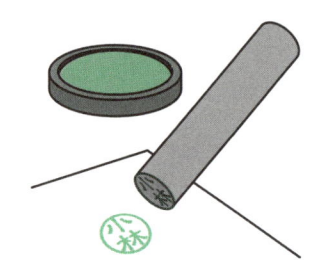

ポイント②　「忙しいと思うが参加してほしい」という気配りを忘れずに。

ポイント①　案内の日時など詳細は「下記」の下に個条書きにする。

件名：新商品研修会のご案内

□□商事購買部　上田様

○○株式会社　営業部　藤岡と申します。
いつもお世話になりありがとうございます。

さて、今年も新商品に関する研修会を①下記のとおり行います。
②皆様お忙しいとは思いますが、ぜひご参加いただけますようお願いいたします。
なお、③準備などの都合もございますので、3月10日までに出欠のお返事をいただけますよう、よろしくお願いいたします。
④それでは、皆様のご参加をお待ちしております。

（記省略）

ポイント③　出欠の返事の期限を必ず書くこと。その日が期限である理由を書いておくと、もっとよい。

ポイント④　案内文の最後は、もう一度誘いの言葉で終わると印象がよい。

バリエーション 1
記念講演会の案内

7月3日に創業30周年記念講演会を①開催いたしますので、グループ企業の皆様も②ぜひご参加ください。出欠は今週末までにメールにてお願いいたします。

ポイント①
→会議などを開くことを相手に伝える表現。

ポイント②
→「～ください」は「～いただけますでしょうか」などに比べると直接的な表現なので、社内やよく知っている取引先などに使うとちょうどよい。

バリエーション2
大きい会議の案内

毎年恒例の海外会議が今年は中国で開催されることになりました。
皆さん③奮ってご参加ください。④参加ご希望の方は人事部木村までメールにてご連絡ください。

ポイント③
→「奮って」は自分から進んで、という意味。

ポイント④
→希望する人に語り掛ける決まり文句。

練習問題

文中の（　）内に入る語句として適当なものをA〜Cから1つ選んでください。

1 ―「来年度の販売会議を（　　　）のとおり開催いたします。」
　☐ A　下記
　☐ B　下書
　☐ C　下言

2 ―「来月の社員旅行の行き先は韓国です。皆様（　　　）ご参加ください。」
　☐ A　進んで
　☐ B　奮って
　☐ C　誘って

解答解説
1　解答：A
　文章の下に記してある、という意味だから「下記」が正解。
2　解答：B
　「奮ってご参加ください」は決まり文句なので覚えてしまうと便利。

語彙

日本語	英語	中国語	韓国語
研修	training	进修	연수
出欠	attend or not	出席和缺席	출결,참석 여부
期限	deadline	期限	기한
創業	founding	创业	창업
〜周年	— anniversary	〜周年	〜주년
グループ企業	group companies	企业集团下属公司	그룹 기업

カテゴリー 7　受領

7-1
商品などの受領

ポイント①　「確かに」「間違いなく」などを受け取ったという表現の前に付けると、より確実な印象が出せる。

件名：追加注文分の納品について

○○食品　販売3課　矢野様

いつもお世話になっております。

1月15日付でこちらが追加注文していた商品ですが、本日①確かに②到着しました。
③突然の追加注文だったにもかかわらず、ご対応くださいましてありがとうございました。
④今後ともどうぞよろしくお願い申し上げます。

西田

ポイント②　「到着」は着くことなので、商品が着く＝受け取る、という表現。

ポイント③　相手に何か特別な対応をしてもらった場合は、そのお礼も書いておくと印象がよい。

ポイント④　商品の受け取りは終了したが、これからも引き続きよろしくという挨拶を、最後に付ける。

バリエーション 1
資料受領

来週のミーティングの資料原本、本日間違いなく①頂きました。
ミーティングまでに②こちらで人数分コピーしておきますので、ご安心ください。

ポイント①
→「頂きました」は受け取ったことを丁寧に言う表現。とてもよく使われる。

ポイント②
→受け取った後に何かを頼まれている場合は、そのことをひと言書いておくと、相手もこちらが忘れていないことがわかって安心できる。

バリエーション2
送金受領

先日ご送金のご連絡を頂いていた商品代金ですが、本日確かに ③受け取りました。

ポイント③
→受領のいちばん一般的な表現。何にでも使えるので便利。

練習問題

文中の（　）内に入る語句として適当なものを A～C から1つ選んでください。

1 −「書類は全部で3枚、先ほどファクスで確かに（　　　）ました。」
　☐ A　領収
　☐ B　受け取り
　☐ C　受付

2 −「先月分の請求書は、昨日（　　　）いただきました。」
　☐ A　間違わず
　☐ B　間違いで
　☐ C　間違いなく

解答解説

1　解答：B
ただ「もらった」ということを言いたいときは「受け取りました」でよい。

2　解答：C
受け取ったことは「間違い」が「ない」ので、「間違いなく」となる。

語彙

日本語	英語	中国語	韓国語
追加注文	additional order	追加訂貨	추가주문
納品	delivery	交貨	납품
販売	sales	销售	판매
到着	arrival	抵达	도착
原本	original (document)	原件	원본
コピー	copy	复印，影印件	복사

カテゴリー 8　承諾

8-1 納期延期の承諾

ポイント①　そうするより仕方がない、という意味。この場合、納期延期しか方法がないということ。

件名：「GT-500」納期延期について

□□商事　夏川様

いつもお世話になっております。

先日お申し出のあった「GT-500」45台の納期延期の件ですが、貴社にも①やむを得ない事情がおありとのことですので、②今回につきましては了解いたしました。

③次回からはこのようなことがないように、よろしくお願いいたします。

□□（株）　谷川

ポイント②　いつも承諾するわけではなく、今回だけ、と強調している。

ポイント③　次からは承諾できない、ということを改めて最後に書いておくとよい。

バリエーション 1
納金延期の承諾

お申し出を受けてから①社内で検討しましたところ、②今月末まででしたら納金延期を承れることになりました。恐れ入りますが、それまでに納金いただきますようお願いいたします。

ポイント①
→承諾するかどうか話し合ったことを相手に伝えると、こちらも相手のために無理していることがわかるのでよい。

ポイント②
→「～でしたら承れます」で条件付きの承諾を表す。

バリエーション 2

価格値上げの承諾

価格値上げへの弊社の対応を検討した結果、③ほかならぬ貴社の申し出ですので、今回限り④了承いたしました。

ポイント③
→「ほかならぬ」は「ほかの誰でもない」と「貴社」を強調する言葉。貴社が特別だという意味になる。

ポイント④
→「了承」は受け入れる、という意味。あまりうれしくない申し出を受けるときにも使える一般的な表現。

練習問題

文中の（　）内に入る語句として適当なものを A〜C から1つ選んでください。

1 —「納期の遅れについては今回に（　　　）了解いたしました。」
- ☐ A 代わって
- ☐ B だけ
- ☐ C 限り

2 —「（　　　）木村様のお申し出なので、今回のことは了承しました。」
- ☐ A ほかならぬ
- ☐ B 他人ならぬ
- ☐ C やむを得ない

解答解説

1　解答：C
「今回に限り」は「今回だけ」という意味。

2　解答：A
木村さんは特別な人で、その木村さんが頼むから今回は了承しました、ということ。

語彙

日本語	英語	中国語	韓国語
やむを得ない	unavoidable	不得已	부득이 함, 어쩔 수 없음
了解	understanding	知道，理解	양해, 이해
検討	consideration	研究	검토
納金	payment	缴款、交款	납금

カテゴリー **8**　承諾

8-2
工場見学の承諾

ポイント①　承諾の場合、相手に対して失礼になるので、メールの件名に「～の承諾」とは書かないこと。

ポイント②　まずは依頼があったことに対してお礼を述べる。

件名：①弊社工場見学について

□□株式会社　人事部　三井様

□□食品広報部、竹中と申します。
このたびは、弊社の工場見学に②お申し込みいただきありがとうございます。
③よろこんでお引き受けいたします。見学していただくことで④貴社のお役に立てれば幸いです。
見学は2時間ほどでほとんどすべての工程を見ていただけると思います。
なお、一部お見せできない工程もございますが、その旨ご了承ください。

詳細はまた追ってこちらからご連絡させていただきます。
どうぞよろしくお願いいたします。

ポイント③　何か依頼を受けるときの一般的な表現。

ポイント④　相手の役に立つとうれしい、という謙虚な気持ちを伝えると印象がよい。

バリエーション 1
アンケート調査の承諾

①先日のアンケート調査の件、②喜んでご協力させていただきます。
○日までにアンケート調査用紙に記入し、添付でメールいたします。
取り急ぎ、まずはご連絡まで。

ポイント①
→最初に何の件についてか、はっきり書いたほうがわかりやすい。

ポイント②
→「喜んで」の言葉を付けると、こちらも積極的に承諾しているという印象になる。

バリエーション 2
会議の司会進行役の承諾

来月の会議の司会の件ですが、③お受けいたします。
至らないところもあるかと思いますが、④皆さんのご期待に沿うことができれば幸いです。

ポイント③
→何かの役目を引き受けるときの表現。

ポイント④
→みんなの期待どおりにできればうれしい、という控えめな気持ちを表現している。

練習問題

文中の（　）内に入る語句として適当なものを A～C から1つ選んでください。

1 — 「展示会の司会の件、（　　　）お引き受けいたします。」
　　☐ A 喜んで
　　☐ B 悩みつつ
　　☐ C 楽しんで

2 — 「弊社の企業博物館を見ていただくことで、皆さんの（　　　）幸いです。」
　　☐ A 勉強になれば
　　☐ B お役に立てれば
　　☐ C 仕事ができれば

解答解説
1 解答：A
相手の依頼を引き受けることがうれしい、ということなので、Aが正解。

2 解答：B
「お役に立てれば幸いです／うれしいです」は決まり文句なので、覚えておくと便利。

語彙

日本語	英語	中国語	韓国語
見学	tour	参観	견학
承諾	approval	答応	승낙
申し込み	application	申請	신청
工程	process	工程	공정
アンケート	questionnaire	征询意見表	앙케이트
期待	expectations	期待	기대

カテゴリー **9**　**お礼**

9-1
資料送付のお礼

ポイント①　相手がすぐに対応してくれたときに付け加えるとよい。

件名：資料送付について

□□商事　内田様

いつもお世話になっております。
先日お願いしておりました資料ですが、先ほど受け取りました。
突然の申し出にもかかわらず、①早速お送りいただき②誠にありがとうございました。
資料を拝見したところ、こちらが参考になりそうな部分に付箋までつけてくださっていて、③大変感激いたしました。
お忙しいところお心づかいを頂き、④心より感謝申し上げます。
今後とも何とぞよろしくお願いいたします。

（株）□□ソリューション　渡辺

ポイント②　書き言葉でいちばん一般的なお礼の表現。

ポイント③　相手の行動で特にうれしかったことについては、「感激」という言葉を使うと相手に伝わりやすい。

ポイント④　とても丁寧なお礼の表現。社内メールなどにはあまり使われない。

バリエーション 1
見積もりのお礼

①このたびの見積もりの件、本当にありがとうございます。②おかげさまで何とか今月中に注文を出すことができそうです。

ポイント①
→「今度の」「今回の」の丁寧な言い方。
ポイント②
→相手の助けがあって、という意味。

> **バリエーション2**
>
> # カタログ・商品見本のお礼
>
> このたびは^③わざわざ商品見本を送っていただきありがとうございます。
> 井上様にはいつも本当によくしていただいて、^④とても感謝しております。

ポイント③
→相手の行動が当たり前でなく、特にそのためにしてくれた、という意味。

ポイント④
→「ありがとうございます」ばかりではなく、「感謝」という言葉を使うと改まって気持ちを伝えられてよい。

練習問題

文中の（　）内に入る語句として適当なものを A～C から1つ選んでください。

1 ー「わざわざお越しいただき、心より（　　　）申し上げます。」
- ☐ A 感謝
- ☐ B 感激
- ☐ C 感動

2 ー「急な依頼にもかかわらず、（　　　）お見積もりいただきありがとうございます。」
- ☐ A 今すぐ
- ☐ B 早速
- ☐ C 急いで

解答解説

1　解答：A
　お礼を言うのだから「感謝」が正解。

2　解答：B
　「早速」は急いでやるのではなく、てきぱきと行動するという意味。

語彙

日本語	英語	中国語	韓国語
付箋	sticky note	飞签	포스트 잇
感激	thrilled, impressed	感动	감격
感謝	thanks	感谢	감사
見積もり	estimate, quotation	估价单	견적
カタログ	catalog	商品目录	카다로그
てきぱき	with alacrity	干净利落	일을 척척 해내는 모양

カテゴリー 9　お礼

9-2

注文のお礼

ポイント①　お礼メールの場合、件名は「～のお礼」より「ありがとうございます」という言葉を使ったほうが気持ちが伝わる。

ポイント②　まずはお礼から始めるのが基本。

件名：①ご注文ありがとうございます

□□販売　中田様

株式会社□□　黒田と申します。

②このたびは弊社商品をご注文いただき、誠にありがとうございます。
商品の在庫もございましたので、24時間以内に発送させていただける予定です。
何か商品についてご不明な点などございましたら、私黒田までいつでもお問い合わせください。
今後ともどうぞよろしくお願い申し上げます。

③まずは取り急ぎご注文のお礼まで。

ポイント③　注文後すぐのお礼メールであれば、「まずは取り急ぎ～」の言葉を使ってもよい。

バリエーション 1
面会のお礼

本日はお忙しいところ、①わざわざお時間をいただきありがとうございました。
山本様のお話を伺うことができて、②大変参考になりました。

ポイント①
→自分のために時間を使ってくれたことに対して、まずお礼を言おう。

ポイント②
→相手と話して「参考になった」「勉強になった」などの感想を付け加えるとよい。

バリエーション 2

プレゼン直後のお礼

本日は新製品のプレゼンテーションをお聞きいただきありがとうございました。
今回の③プレゼン後に頂いたご意見を取り入れ、再度ご提案・ご案内させていただきたいと思います。

ポイント③
→プレゼンテーションの略語。ビジネス場面でよく使う。

練習問題

文中の（　）内に入る語句として適当なものを A～C から1つ選んでください。

1 －「まずは取り急ぎ面会のお礼（　　　）。」
　　□ A です
　　□ B とか
　　□ C まで

2 －「このたびはご注文（　　　）ありがとうございます。」
　　□ A 大変
　　□ B 誠に
　　□ C とても

解答解説

1 解答：C
「取り急ぎ～まで」は、とりあえず急いで～するという意味の決まり文句なので覚えよう。ビジネスメールの最後によく使われる。

2 解答：B
「誠に」は「本当に」の改まった言葉。メールなどの書き言葉でよく使われる。

語彙

日本語	英語	中国語	韓国語
不明	unclear	不明、不清楚	확실하지 않음
プレゼンテーション	presentation	展示	프리젠테이션
再度	again	再次	재차
提案	suggestion	建議	제안
案内	(give) information	介紹产品	안내

カテゴリー 10　お詫び

10-1
発注書の書き間違い

ポイント①　「付（づけ）」は、年月日に付いて、文書を作成した日付を表す。

ポイント③　こちらにミスがあったときは、言い訳せずに丁寧に謝ること。類）「こちらのミスで」「不手際で」「勘違いで」

件名：10月21日付送付の発注書内容の訂正

遠藤様

いつも大変お世話になっております。
①10月21日付で、昨日送付いたしました、AX□□シリーズの発注書②につきまして、品番を1個所、書き間違えていたことがわかりました。

「AX□□-1990」は、「AX□□-1980」の誤りでした。

③こちらの不注意で、ご迷惑をお掛けいたしまして申し訳ございません。
④本日、改めて正しい内容の発注書を送付いたしますので、お手数ですが、誤りのあるものは破棄していただけますでしょうか。
何とぞよろしくお願い申し上げます。

AB□□商事　王

ポイント②　○○に関することで、という意味の丁寧な言い方。類）「……について」

ポイント④　ミスがあったときは、どう対応するのかを必ず書くようにすること。

バリエーション 1
納品の数量間違い

12月15日納品予定の「RT□□880」につきまして、今回、15箱ご注文いただいておりましたが、こちらの確認ミスで12箱しか発送していなかったことがわかりました。
①今回はご注文数に変更がございましたのに、不注意で見逃しておりました。ご迷惑をお掛けし申し訳ございません。本日、残りの3箱を特急便にて発送いたしました。②別便になりますが、納期の15日には間に合う予定です。

ポイント①
→ミスが起こった原因がわかるときは書くようにするが、長くなり過ぎないように。

ポイント②
→「別便」は別に出す郵便のこと。品物が別々に届くことを相手に伝えている。

バリエーション2

入力データの誤字

お送りした入力データに誤字がありましたこと、大変申し訳ございませんでした。画像イメージの手書きの文字が判別しにくかったのにもかかわらず、③こちらで安易に判断して入力してしまいました。
④今後は、その都度、確認することを怠らないようにいたします。

ポイント③
→「安易」は、よく考えずにという意味。「安易な行動」「安易に考える」などと使う。

ポイント④
→謝罪のメールのときには、今後は同じ間違いをしない、という決意を書くことが多い。類)「以後、十分注意いたします」

練習問題

文中の（　）内に入る語句として適当なものをA～Cから1つ選んでください。

1 －「貴社に（　　　　　　　）こととなり、大変申し訳ございません。」
　　□ A お詫び申し上げる
　　□ B ご迷惑をお掛けする
　　□ C ご好意をいただく

2 －「今後はこのようなことのないよう、発送の際は（　　　）注意いたします。」
　　□ A 手厳しく
　　□ B 激しく
　　□ C 厳重に

解答解説

1　解答：B
「ご迷惑をお掛けする」は「迷惑を掛ける」の敬語表現。謝罪のメールでよく使う言い方の一つ。

2　解答：C
「厳重に注意いたします」は「十分注意いたします」と同様によく使われるフレーズ。

語彙

日本語	英語	中国語	韓国語
発注書	order form/slip	订货单	발주서
訂正	correction	订正	정정
不注意	carelessness	不小心	부주의
破棄	destroying	撤销、取消	파기
納期	deadline	交货期、交付期	납기
安易	without careful consideration	容易、轻而易举	안이

カテゴリー 10　**お詫び**

10-2

納期の遅れ

ポイント①　相手に迷惑を掛けることなので、挨拶文もできるだけ丁寧に書くようにする。

ポイント②　「納品できません」と直接的に言うことを避けるため、「納品できない状態」と書いている。

件名：エアコンSH□□-650の納期遅れについて

□□電器営業部　佐藤○○様

株式会社□□電工販売部　伊藤です。
①平素は格別のご高配を賜り、厚く御礼申し上げます。
さて、ご注文いただいた「エアコンSH□□-650」につきまして、ご注文の15台中、4台が、在庫不足のためご指定の日に②納品できない状態になっております。
③貴社にご迷惑をお掛けする結果になり、大変申し訳ございません。
残りの4台の納品日につきましては、入荷の④見通しが立ち次第ご連絡申し上げます。
本日までご連絡が遅くなり、申し訳ございませんでした。
まずは取り急ぎ、お詫びとご連絡を申し上げます。

ポイント③　お詫びの言葉の前に入れる表現として、よく使われる。類）「貴社には多大なご迷惑をお掛けし」

ポイント④　「Vます形＋次第」は、何かをしたらすぐに、という意味。「見通しが立つ」は、今後のことが予測できること。「見通しがつく」とも。

バリエーション 1
研修の申し込み期日遅れ

3月15日実施予定の「エリア別営業研修」に①予約を入れましたが、
昨日までの申し込み期日を②失念しており、まだ正式な申し込みをしておりませんでした。
本日、フォームをファクスいたしましたが、間に合いますでしょうか。
お手数をお掛けして申し訳ございません。

ポイント①
→予約は「予約する」「予約を入れる」などと使う。

ポイント②
→「失念する」はうっかり忘れることや、覚えていたことを思い出せないことの、硬い表現。

バリエーション 2
メールの返信遅れ

頂いたメールにつきまして、③レスが遅れて申し訳ありませんでした。

ポイント③
→「レス」は「レスポンス」（返事・回答・応答）の略語。近年よく使われるようになった言葉。「レスが早い」「レスが遅い」という言い方で、メールだけでなく口頭でも使う。類）「ご返事が遅くなり、大変失礼いたしました」

練習問題

文中の（　）内に入る語句として適当なものを A〜C から1つ選んでください。

1 －「次回の入荷予定につきましては、現在のところ（　　　　　）。大変申し訳ございません。」
- ☐ A 見通しがついておりません
- ☐ B 見通しがつき次第お送りします
- ☐ C 見通しが甘いと存じます

2 －「お約束の日をすっかり（　　　）ており、ご返事が遅れましたことをお詫び申し上げます。」
- ☐ A 失礼し
- ☐ B 失念し
- ☐ C 置き忘れ

解答解説

1 解答：A
「見通しがつかない／立たない」は、先の予測ができないこと。Cの「見通しが甘い」は十分な情報収集や分析をしないで将来の計画を立てることをいう。

2 解答：B
「忘れる」よりも「失念する」を使うほうが直接的にならずによい。相手が忘れているときは「ご多忙によるご失念かと。」などの表現を使って確認するのもよい方法。

語彙

日本語	英語	中国語	韓国語
平素	always	平常、素日	평소
格別	special	格外、特別	각별
高配	courtesy	关照、照顾	배려
入荷	arrival (of merchandise)	进货	입하
見通し	forecast	预测、预计	전망

カテゴリー **10** **お詫び**

10-3

不良品の混在

ポイント① 謝罪の内容なので、宛名や書き出しは丁寧な表現にする。宛名は名字だけよりフルネームで書いたほうが丁寧になる。

件名：11月2日納品TR□□-SSの不良品混在について

①株式会社YG□営業部　横田○○様

平素は格別のご高配を賜り、厚く御礼申し上げます。
11月2日納品のTR□□-SSに不良品が混在していた②とのご連絡を受け、大変申し訳なく、心よりお詫び申し上げます。
不良品1個につきましては、本日、代替品をお送りいたしました。
③ご検収のほどよろしくお願いいたします。
今後はこのようなことが二度と起こらぬよう、品質管理のチェック体制を強化し、十分注意してまいりますので、④今回のことは何とぞご容赦いただきますよう、お願い申し上げます。
メールにて恐縮ではございますが、まずはお詫びとご連絡まで。

東洋□□株式会社営業部　吉田○○

ポイント③ 「検収」はよく調べてから収めること。「査収」とも。

ポイント④ 謝罪のメールの最後には、「許してください」という意味のことを述べる。言い方はさまざまある。類）「今回の件はどうぞお許しください。」

ポイント② 相手が言った内容を引用する言い方、「～との○○」は書き言葉としてよく使う表現。類）「～とのこと」「～とのご指摘」。

バリエーション 1

商品の破損

本日納品いたしました商品に一部破損があったとのこと、大変申し訳ございませんでした。

平素より、梱包、発送には十分注意しておりましたが①行き届かず、②貴社には多大なご迷惑をお掛けしてしまいました。心よりお詫び申し上げます。

ポイント①
→「行き届かない」は、注意や努力が十分でなかったという意味。

ポイント②
→謝罪のメールの中でよく出てくる言い回し。類）「大変ご心配をお掛けいたしました」

明日、代替品を③お持ちし破損品を回収させていただくと同時に、④破損品の状況を調べさせていただきますので、恐れ入りますが品物につきましては、そのままの状態で保管しておいていただけますでしょうか。

今後は原因を調査し、⑤対策を講じてまいる所存です。二度とこのようなことのないよう厳に注意してまいりますので、どうぞお許しください。

ポイント③
→「お持ちする」は、相手の会社に何かを持参する（持って行く）ということ。

ポイント④
→物品の破損があったときは、原因を調べることが多い。「原因を調べますので」と書くよりもこのように書いたほうが丁寧。

ポイント⑤
→謝罪のメールでは、今後はどのようにするかという決意を書くようにする。「対策を講じる」は、対策を考えるという意味の硬い表現。

練習問題

文中の（　）内に入る語句として適当なものを **A〜C** から1つ選んでください。

1－「今回の件は（　　　　　　　　　）いただきますようお願い申し上げます。」
- ☐ **A** ご許容
- ☐ **B** ご認可
- ☐ **C** ご勘弁

2－「こちらの（　　　　）で納期が遅れてしまいました。」
- ☐ **A** 不手際
- ☐ **B** エラー
- ☐ **C** 下手

解答解説

1　解答：**C**
「勘弁する」は許すことで、謝罪のメールではよく見られる表現。

2　解答：**A**
「不手際で」は、やったことの結果が完全でなかったときに使う言い方。「社員の不手際でミスを犯してしまい」など。

語彙

日本語	英語	中国語	韓国語
混在	mixed in with	混在一起	섞여 있음
代替	replacement	代替、替代	대체
品質管理	quality control	质量管理	품질 관리
容赦	forgiveness	宽恕、原谅	용서
破損	damage	破損	파손
梱包	packing	包装	포장

カテゴリー 11 断り

11-1
キャンペーン申し込みの断り

ポイント① 「愛顧」はよく利用すること。顧客に対するお礼の挨拶文としてよく使われるフレーズ。

ポイント② 「受け付けできません」と直接的な表現をすると相手に失礼になる。動詞の「ます形」+「かねる」という言い方で、「相手の希望をかなえたいのだが、事情があってできない」という意味になり、柔らかい表現になる。「残念ながら」というクッションワードも効果的。

件名：全自動洗濯機New□□　キャンペーンの件

吉本○○様

①平素は弊社製品をご愛顧いただき厚く御礼申し上げます。
また、この度は「New□□お客様モニターキャンペーン」にお申し込みいただき、ありがとうございました。

しかし、当キャンペーンへのお申し込み期限は先月末までとなっており、今回のお申し込みは、②残念ながら受け付けできかねます。
③あしからずご容赦くださいませ。

取り急ぎ、ご連絡いたします。

S□□YA電器株式会社　山本○○

ポイント③ 「あしからずご容赦くださいませ」はこちらに悪意はなく、仕方ないことなので受け入れてください、ということ。まとまったフレーズとして使うことが多い。類）「あしからずご了承いただきますよう、お願い申し上げます」

バリエーション 1
追加注文の断り

（前略）
ご注文いただいた商品につきましては、①あいにく在庫切れの状態となっております。急ピッチで生産しておりますが、貴社の納期・数量には②お応えできかねます。
弊社の事情によりご迷惑をお掛けし、誠に申し訳ございません。今後とも何とぞよろしくお願い申し上げます。

ポイント①
→「在庫切れです」と直接書かないために、婉曲的な言い方にしている。「あいにく」は「残念ながら」と同じ意味。

ポイント②
→対応が無理だということ。「～しかねる」という言い方のほかに、「お応えするのは難しい／困難だ」という表現もある。

バリエーション 2
返品の断り

ご連絡いただきました返品の件につきまして、③社内で検討させていただきました。
しかし、該当商品は貴社キャンペーン用の特注品でございましたので、④誠に心苦しいのですが、今回のお申し入れはお受けできかねます。

ポイント③
→「社内で検討する」は話し合いをした、ということ。相手の要求を受け入れられるか努力をした、と言いたいときの表現。

ポイント④
→断りのメールによく使われるクッションワード。類)「申し訳ないのですが」「申し上げにくいのですが」

練習問題

文中の（　）内に入る語句として適当なものを A〜C から1つ選んでください。

1 ―「在庫が少なく、残念ながらご注文をお受けすることができません。
　　　（　　　　　　　　）。」
　　☐ A 断ります
　　☐ B 承諾いたしてください
　　☐ C 申し訳ございません

2 ―「誠に（　　　　　　）、今回の件はお引き受けできないと判断しました。」
　　☐ A せっかくのお話なのですが
　　☐ B 仕方がないのですが
　　☐ C 申し上げにくいのですが

解答解説

1　解答：C
　　断りの言葉を書いた後、ひと言お詫びをすると印象が柔らかくなる。
2　解答：C
　　「申し上げにくいのですが」は、断りなど相手に言いにくい内容のメールのときによく使うクッションワード。

語彙

日本語	英語	中国語	韓国語
愛顧	patronage	偏愛	애고, 성원
モニター	monitor	产品试用	모니터
在庫切れ	out of stock	断货，售罄	남아있는 재고가 없음
検討	consideration	研究	검토
該当	(thing) in question	该、这一（个、件等）	해당
特注品	special order item	（根据特殊要求指定的）订货	특별주문품

カテゴリー **11** 断り

11-2
新規取引依頼の断り

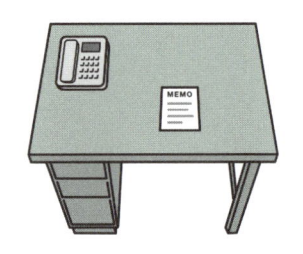

ポイント① 新規の取り引きに関するメールなので、相手に対して特に丁寧な書き出しになっている。

ポイント② 「その話は引き受けられません」と言うと直接的で失礼なので、「不本意ながら」「ご辞退させていただく」など婉曲な表現をたくさん使っている。

件名：新規取引ご辞退の件

□□商事　田川○○様

①貴社ますますご清栄のこととお喜び申し上げます。
株式会社ヤスダ□□　営業部の渡辺○○と申します。
この度は、弊社との新規取引のお申し入れを頂き、誠にありがとうございます。
②大変ありがたいお話なのですが、誠に不本意ながらご辞退させていただきます。
③弊社製品につきましては大量生産が難しく、現在のところ新規のお取り引きを開始する予定はございません。
④何とぞ事情をお察しいただき、ご了承くださいますようお願い申し上げます。
メールで恐縮ですが、取り急ぎお詫びかたがたご返事まで。

ポイント③ ただ断るだけではなく、なぜ断らないといけないのかの理由も書くと、相手に納得してもらえる。

ポイント④ 「事情を察する」は相手の状況や原因がわかること。「事情をお察しいただき」は、「事情をわかってもらう」ということになるので、動作の主体は書き手側になる。そのため、謙譲語が使われている。

バリエーション1
見積もりの断り

（前略）
①せっかくのご依頼ですが、貴社よりいただきました納期・数量などの条件に対応できかねると判断いたしました。誠に心苦しいのですが、今回の見積もりの件はご辞退させていただきたいと存じます。
②取り急ぎお詫びかたがたご返事まで

ポイント①
→断るときも、「ありがたい申し入れなのだが」と前置きすることで、相手に対する印象もよくなる。

ポイント②
→②「～かたがた○○まで」は、メールの目的が「～」「○○」の両方にある、という意味でよく使われる。断りメールの場合、こちらは悪いことをしていなくても、相手の申し出を断ることを「詫びる」ことが多い。

バリエーション2

値引き交渉の断り

（前略）

③ご要請のありました、商品「□□」の納入価格の値引きにつきまして、社内で検討いたしました。しかしながら、これ以上の値引きは④お引き受けすることが難しいとの結論に達しました。

折からの原油価格高騰により、現在の価格を維持することも大変難しい状況でございます。⑤どうぞ事情をお酌み取りいただきたくお願い申し上げます。（後略）

ポイント③
→「要請」は、必要なこととして強く求めること。

ポイント④
→「難しい」と書くときは、引き受けられる可能性はない、という意味であることが通常である。

ポイント⑤
→「事情を酌み取る」は、事情を理解することの別の言い方。

練習問題

文中の（　）内に入る語句として適当なものを A〜C から1つ選んでください。

1 ―「何とぞ事情を（　　　　　　）ご了承ください。」
　□ A　見抜いていただき
　□ B　お察しいただき
　□ C　推理いただき

2 ―「取り急ぎお詫び（　　　　）ご回答まで。」
　□ A　と同時に
　□ B　かたがた
　□ C　とともに

解答解説
1　解答：B
　「察する」は相手の事情や相手の気持ちを感じ取ること。
2　解答：B
　2つの用件を兼ねたメールのときは、接尾語の「かたがた」を使う。

語彙

日本語	英語	中国語	韓国語
新規	new	新、新的	신규
辞退	declination	辞退	거절
不本意	reluctant	非情愿、非本意	본의가 아님
恐縮	(feel) regretful/embarrassed	过意不去	공축
値引き	discount	降价、让利	할인, 값을 깎음
高騰	rise	暴涨	급등

カテゴリー 12　エスカレーション（転送）

12-1
窓口として担当者へ転送する

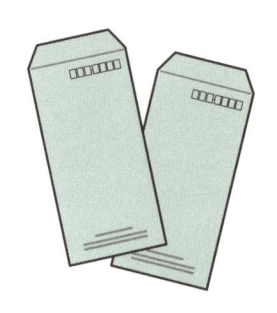

ポイント①　「佐々木が担当者だ」ということ。特に「窓口」という場合、外部からの問い合わせなどに広く対応する担当者・担当部署のことをいう。

件名：就職□□フェア08　担当者の件

遠藤様
（CC：企画部佐々木）

いつも大変お世話になっております。
弊社主催予定の「就職□□フェア08」について、ご関心をお持ちいただきありがとうございます。
今回、①企画部の佐々木が窓口になっておりますので、お問い合わせいただいた②メールを転送しておきました。
③追って佐々木より直接ご連絡をさせていただきますので、どうぞよろしくお願いいたします。
取り急ぎご連絡まで。

株式会社　AB□□人材　吉田

ポイント②　先に転送してから、それを報告しているので「転送しておきました」と書いている。

ポイント③　「追って」は近いうちに、後から、ということ。類）「後ほど」「後日」

バリエーション 1
担当者への転送の連絡（社内）

佐々木様
お疲れさまです。
営業1課の吉田です。
「就職□□フェア」について、関西□□商事の遠藤様より、①以下のようなお問い合わせがありましたので転送いたします。
遠藤様にはCCに佐々木さんを入れて、ご返事を出しておきました。
②対応をよろしくお願いいたします。
吉田

ポイント①
→メールの転送のときによく使うフレーズ。「以下のような」は、転送する元のメールの内容が、この本文の下に続くということを言っている。

ポイント②
→その後の処理を頼む時、「対応」という言葉をよく使う。「後はお願いします」「返信してください」などとはあまり言わない。

バリエーション2
新規プロジェクト企画の提案

（前略）
お送りいただいた、新しいプロジェクトの企画書については、どの部署の担当になるのか③<u>私では判断できかねましたので、上の者に転送しておきました。</u>
④<u>後日、担当者よりご返事させていただくことになると思いますので、しばらくお待ちいただけますでしょうか。</u>

ポイント③
→「上の者」は上司のこと。対応の仕方がわからないメールが来たときなどは、上司に相談して指示を受けること。

ポイント④
→転送先の上司が返信するわけではなく、担当者を探した後で返信するということ。なので、しばらく日数がかかると言っている。

練習問題

文中の（　）内に入る語句として適当なものを A～C から1つ選んでください。

1 －「営業部の山田が（　　　　　）おりますので転送いたしました。」
　　☐ A 担当して
　　☐ B 分担して
　　☐ C 担任して

2 －「担当者より（　　　　　）ご連絡させていただきます。」
　　☐ A いつか
　　☐ B そのうち
　　☐ C 追って

解答解説
1 解答：A
何かの仕事を責任をもって受け持つことを「担当する」という。

2 解答：C
「いつか」「そのうち」は、すぐに対応する気がない言い方で無責任に聞こえる。「追って」は、いついつまでに、とはっきり約束できないが、それほど相手を待たせないうちにという意味である。

語彙

日本語	英語	中国語	韓国語
転送	forwarding	传送，转送	전송
主催	hosting	举办	주최
関心	interest	关心	관심
窓口	contact	窗口	담당자
処理	processing	处理	처리

カテゴリー 13　通知（社内）

13-1
ITメンテナンス

ポイント①　行事や会議などの日程・内容を知らせるときのフレーズ。1日で終わることも数日かかることも、両方に使える。「実施します」は「行います」でもよい。類）「下記の期間行います」

件名：ITメンテナンス実施（10／2）のお知らせ

社員の皆様へ

サーバーのメンテナンスを、①以下の日程で実施します。

日時：10月2日（火）20：00～23：00

②この間、社内からはインターネットに繋げなくなりますのでご注意ください。
③ご協力のほど、よろしくお願いいたします。

ITサポート部　川辺

ポイント②　「この間(かん)」は、実施する時間帯（期間）のこと。「この間(あいだ)」ではないので注意。

ポイント③　社員にとっては不便なことなので、ただ通知するだけでなく、ひと言協力を呼び掛けると、印象がいい。

バリエーション 1
断水の通知

貯水槽の点検のため、12月3日（木）15：30－16：30の間、断水になるそうです。①社員の皆様にはご不便をお掛けいたしますが、ご協力よろしくお願いします。
②なお、点検終了後はしばらく茶色の水が出るかもしれませんので、ご注意ください。

ポイント①
→相手にとって不便だというときは「不便を掛ける」という。敬語表現では「ご不便をお掛けする」となる。

ポイント②
→「なお」は、情報を付け加えるときによく使う接続詞。使うときは本文中に1度だけ使う。2度も3度も使うとおかしいので注意。

バリエーション2
工事に伴う騒音

社屋西側の外壁工事を、下記の期間行います。

●2008年3月3日（月）～10日（月）（③日曜日を除く7日間）

この間、特に西側の部署では、④工事に伴って騒音がすると思われます。
大変ご不便をお掛けいたしますが、ご理解・ご協力のほど、よろしくお願いいたします。

ポイント③
→期間や日数を書くとき、週末などが入らない場合の書き方。類）「週末を除く3週間」、「定休日は毎水曜日、ただし第2水曜日を除く」など

ポイント④
→「～に伴って」は、ある事が起きることによって、別の事が引き起こされること。工事のせいで騒音がすること。

練習問題

文中の（　）内に入る語句として適当なものを A～C から1つ選んでください。

1 ─「エレベーターの点検が（　　　　　）で行われます。」
　　☐ A　予定のとおり
　　☐ B　以下の日程
　　☐ C　下記の過程

2 ─「工事期間中、東側道路は通れません。（　　　　　）よろしくお願いします。」
　　☐ A　ご協調のほど
　　☐ B　ご努力のほど
　　☐ C　ご協力のほど

解答解説
1　解答：B
　　「以下の（下記の）日程で」は頻出の表現なので覚えよう。
2　解答：C
　　AやBのような言い方はしないので注意。

語彙

日本語	英語	中国語	韓国語
メンテナンス	maintenance	维修、维护	점검, 멘테넌스
日程	schedule	日程	일정
実施	conducting	实施	실시
行事	event	活动、仪式	행사
点検	inspection	检查	점검
伴って	as a result of	伴随	~에 따라, ~로 인해

カテゴリー **13** 通知（社内）

13-2

書類の提出期限

ポイント① 「各位」は複数の宛先に一斉にメールや文書を送るときの、宛名の敬称。「○○各位様」「○○各位殿」などは敬称が二重になっているので間違い。

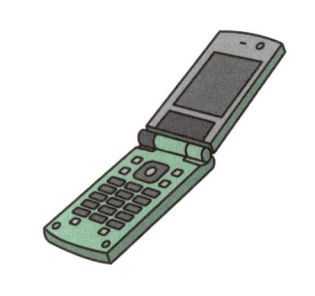

ポイント② 社内向けのメールでよく使われる挨拶の言い方。

件名：来年度の異動希望調査の提出期限について

①社員各位

②お疲れさまです。
本日、机上に配布いたしました来年度の「社内異動希望調査票」の③提出期限は11月20日となっております。

調査票は、人事部の田上の机上にある回収箱に入れてください。④大切な調査ですので、期限日までに忘れずに提出するよう、お願いいたします。

なお、記入方法などの質問は、担当の田上までお気軽にお尋ねください。

人事部　田上清美　内線：2△△6

ポイント③ ○日までに提出しなければならないというとき、「提出期限」「提出締め切り」などと言う。「○月○日です。」と書いてもよいが、婉曲的に「○月○日になっております」としている。

ポイント④ 「～忘れずに提出してください」と書いてもいい。「お願いします」と付け加えたいときは、このように書く。

バリエーション 1

社内アンケートの通知

（前略）
会社満足度のアンケート調査は、①以下のURLから行うことができます。
ログイン画面で社員IDとパスワードを入力してください。
②アンケートは5分程度で終わりますので、皆様のご協力をお願いします。

ポイント①
→インターネットなどで何かをしてもらうときの言い方。類）「オンラインで回答できます」

ポイント②
→アンケートは会社のためのこととはいえ、忙しい社員にとっては面倒くさいもの。このように簡単にできることを強調するとよい。

バリエーション2
提出期限厳守のお願い

③経理部より社員の皆様にお願いです。
出張費等の経費精算は、毎月の月末までに行うことになっていますが、遅れて提出する方が多く見られます。
今月末は、特に上半期末に当たりますので、経費精算の提出が遅れないように④期限厳守にてよろしくお願いします。
（後略）

ポイント③
→メールの内容が「期限厳守」というかなり厳しい要求なので、高飛車な物言いにならないように、少し柔らかい言い方で「お願いです」と書いている。

ポイント④
→「にて」は「で」と同じ意味の硬い言い方。

練習問題

文中の（　）内に入る語句として適当なものを A～C から1つ選んでください。

1－「オンライン申請ですので、まず以下のURLから（　　　　　）。」
　　□ A　ログインしてください
　　□ B　提出してください
　　□ C　立ち上げてください

2－「資料室の書籍等を借りる場合は、2週間の（　　　　　）ようにしてください。」
　　□ A　納期を必ず守る
　　□ B　提出期限を厳守する
　　□ C　貸し出し期限を守る

解答解説
1　解答：A
　問題文に「まず」とあるので、常識的にAのログインが適当。
2　解答：C
　AとBは、「書籍を借りる」という状況に合っていない。

語彙

日本語	英語	中国語	韓国語
調査	survey	调查	조사
提出期限	submission deadline	交～的期限	제출기한
机上	on top of desk	桌上	탁상, 테이블 위
気軽に	feel free to	轻松、没有压力地	가볍게, 부담없이
強調	emphasis	强调	강조
経費精算	expenses settlement	算清经费	경비정산

カテゴリー 14　案内（社内）

14-1

新年会

ポイント①　新年会など楽しい内容のときは、「社員各位」と書くと硬くなり過ぎるので、柔らかい表現にしている。

ポイント②　毎年行っている行事などを「恒例の〜」と言うことがある。「催します」は「行います」「開催します」などと置き換えられる。

件名：新年会のご案内

①社員の皆様

お疲れさまです。
本年も残すところ後わずかとなりました。
②年明け恒例の新年会を、下記のとおりに催します。
③新しい年を迎えて気持ちも晴れ晴れと、楽しいひと時を過ごしましょう。皆様ぜひご参加ください。
④なお、準備の都合上、出欠を12月20日までに、幹事の山田までご返信ください。
どうぞよろしくお願いします。

記　（後略）

ポイント③　新年会、社員旅行、運動会などの行事のお知らせのときは、事務的な内容だけでなく、このように皆が参加したくなるようなひと言を書き添えるのが一般的。

ポイント④　期限までに返信してほしいときは、その理由もひと言書くと有効的。

バリエーション 1

送別会

（前略）
皆さんもご存知のように、川本さんが、今月末付けで①上海支店にご栄転になります。
つきましては、川本さんを囲んでの送別会を行いたいと思います。
②場所等の詳細は追ってご連絡いたしますが、まずは部署内で日程を調整したいと思いますので、下記の日にちの中で「ご都合の悪い日」を幹事の吉岡までお知らせください。
（後略）

ポイント①
→「栄転」は今までより高い地位に転任することだが、単に転任することを丁寧に言うときにも使う。逆に低いポジションに移ることを表す「左遷」という言葉もあるが、失礼に当たるので公には使わないこと。

ポイント②
→日程を決めてから、場所などの詳細を計画するときの表現例。

> **バリエーション 2**

社員旅行の案内

今年の旅行先は、先日行ったアンケート調査の結果、軽井沢に決定しました。

③宿泊所周辺には、テニスコートや自然の中の遊歩道があり、都会の喧騒を離れてリフレッシュできる場所だと思います。1泊2日で、日程・費用等は以下のとおりです。

④参加希望の方は、7月5日までに担当の中村までご連絡ください。

ポイント③
→行事の場合は、内容を魅力的に紹介することも大切。

ポイント④
→「参加希望の方は」とあるので、この場合は参加しない人は返信しないでもいい。

練習問題

文中の（　）内に入る語句として適当なものを A〜C から1つ選んでください。

1 −「人数を会場に知らせなければならないので、（　　　　　）今週中に出欠をご連絡ください。」
- ☐ A 恐れ入りますが
- ☐ B あいにくですが
- ☐ C 心苦しいのですが

2 −「春ももうすぐとなりました。（　　　　　）お花見を今年も行います。」
- ☐ A 毎年異例の
- ☐ B 毎年恒例の
- ☐ C 毎年特例の

解答解説

1　解答：A
何か依頼する文の直前にクッションワードを入れると、高圧的にならないのでよい。「恐れ入りますが」は最も汎用性のある言葉。

2　解答：B
毎年行っている行事のときは、「恒例の」と言うことが多い。

語彙

日本語	英語	中国語	韓国語
恒例	annual, usual	慣例、常規	정례
催す	host	挙行、挙办	개최하다
幹事	party organizer	団体中的工作人員	간사, 준비 담당자
栄転	promotional transfer	栄升	영전, 인사이동
調整	coordinate	調整	조정

カテゴリー 14　案内（社内）

14-2
定例ミーティング

ポイント①　定期的に行われるミーティングなど、関係者がメールの内容がわかっている場合は、このように簡潔に書いても問題ない。

件名：10月定例営業部会の案内

営業部員各位

お疲れさまです。
①下記のとおり、10月の定例部会を行います。

日時：10月○日（○）　10：00～11：30
場所：第3会議室
②議題：第3四半期の報告、今月の目標
③会議資料：添付ファイル（07.3Q.ppt）

④出席のほど、よろしくお願いいたします。

ポイント②　会議の案内のときは、日時、場所、議題は忘れずに書くようにすること。

ポイント④　参加者が非常に忙しい場合など、予定を調整して参加してほしいと伝えるときは「万障お繰り合わせの上」という言い方もある。

ポイント③　添付ファイルがある場合は、ファイル名を書いておくと、ウイルスなど怪しいファイルとの間違いがなくて親切。

バリエーション 1
ミーティングの日程調整

次回のミーティングについてですが、①佐々木課長が出張で不在のため、日程を調整したいと思います。
参加予定の皆様は、来週月～木曜日の13：30～15：00で、②スケジュールが合わない曜日をお知らせください。
③恐れ入りますが、本日中に鈴木までご返信くださいますよう、お願いします。

ポイント①
→予定を変更した場合は、簡単でいいので理由を書くようにしよう。類）「視察で海外出張中なので」「研修会参加のため」

ポイント②
→日程調整ができないことを「スケジュールが合わない」という

ポイント③
→ひと言クッションワードを入れることで、印象が柔らかくなる。

バリエーション2
予防接種の案内

④今年も風邪が流行する季節となりました。
年末を控え、仕事を円滑に進めるためにも、各自、体調管理には十分お気を付けください。
インフルエンザの予防接種は、11月中の接種が効果的といわれています。社員の皆さんは、⑤最寄の医療機関でなるべく接種するようにしましょう。

ポイント④
→なにか前置きの一文を書くと、本文の内容が唐突にならない。

ポイント⑤
→「最寄(もより)」は、読み手それぞれにとっての近所の、という意味。

練習問題

文中の(　)内に入る語句として適当なものを A~C から1つ選んでください。

1 -「10月企画部会を(　　　　　　)行います。」
　　☐ A 下記と同じに
　　☐ B 下記のままで
　　☐ C 下記のとおり

2 -「部長が急に別の会議に参加しなければならなくなったので、(　　　　)ます。」
　　☐ A 日程を調査し
　　☐ B 曜日をずらし
　　☐ C 将来に変更し

解答解説

1　解答：C
　「○○のとおり」は○○と同じ状態、方法であることを意味する。
　類)「言われたとおりにする」「地図のとおりに行く」など

2　解答：B
　「曜日をずらす」「日にちをずらす」は、日程を少し変更すること。

語彙

日本語	英語	中国語	韓国語
定例	regular	例、例会等	정례
四半期	quarter	季度	사분기
簡潔	concise	简洁	간결
万障	all impediments	各种障碍	만장, 여러 가지 장애
円滑	smooth	顺利	원만
体調管理	taking care of one's health	健康管理	건강 관리

カテゴリー **15** 報告（社内）

15-1

出張報告

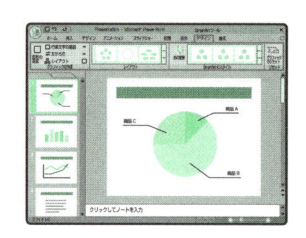

ポイント① 多くの会社で、さまざまな社内文書が様式化されている。この場合は会社指定の出張報告書を提出したということ。

件名：10月3日、4日の大阪出張の詳細報告

山田課長

お疲れさまです。

10月3日、4日の大阪出張について、①所定の用紙での報告書はすでに提出済みですが、
②詳細な内容および関係資料を添付してお送りします。
③ご確認をよろしくお願いいたします。

里中

ポイント② 「および」は、複数の事柄を並列して述べるときの接続詞。「と」を使うよりもビジネスらしい言い方。類）「納期、数量および梱包手段は」

ポイント③ 相手が上司であっても、社内メールのときは簡潔な言葉遣いで書いていい。

バリエーション 1

販促イベントの結果報告

7月23日実施の「□□生ビール」①販促イベントの結果について、下記のとおり報告いたします。どうぞよろしくお願いいたします。

企画部　岡田

②記

日時：7月23日（土）10：00～17：00
場所：恵比寿□□ビル前　特設会場

ポイント①
→報告のメールを書くときの最も一般的な書き方。

ポイント②
→ビジネス文書の場合は、「記」は中央に、「以上」は右揃えで書くが、メールではどちらも左揃えで書いてよい。

活動内容：試飲、販促グッズ配布、割引券配布、アンケート調査
動員：15人（内アルバイト12人）
集客：○○○人
費用：○○○○円（アルバイト料、販促グッズ制作費）
③気付き：ターゲットは20－30代男性が中心だったが、思いのほかに30代女性の関心が高いことに気付いた。当日は晴天で気温が高かったこともあり、ビール試飲は好評だった。④備考：添付資料「アンケート調査結果」

ポイント③
→「気付き」には感想や提案を書く。「所感（しょかん）」という言い方もある。

ポイント④
→「備考」は参考のために、本文に付け加えること。

②以上

練習問題

文中の（　）内に入る語句として適当なものを A～C から1つ選んでください。

1 ―「研修会の結果を下記のとおり（　　　　　　）。よろしくお願いいたします。」
　☐ A 報告いたします
　☐ B 報道いたします
　☐ C 連絡いたします

2 ―「関係資料は（　　　　　）。」
　☐ A 添付ファイルを拝見してください
　☐ B 添付して受信しました
　☐ C 添付いたしました

解答解説

1　解答：A
　報告のメールの定型なので覚えよう。

2　解答：C
　「添付いたしました」「添付ファイルをご覧ください」などが一般的な言い方。

語彙

日本語	英語	中国語	韓国語
報告	report	汇报、报告	보고
所定の	prescribed	规定的、所规定的	소정의
詳細	details	详细	상세
様式(化)	form	样式	양식
イベント	event	活动、促销活动	이벤트
グッズ	goods	商品	상품

カテゴリー 15　報告（社内）

15-2

ミーティング議事録

ポイント①　違う会社や部署から参加者が集まる場合の宛名として、便利な表現。

ポイント②　「標題(表題)の件について」は、件名の内容を指す言い方で、同じ内容を2度書かなくてもよいので、よく使われる言い方。

件名：「製品展示会08」第2回ミーティング議事録

①関係者各位

お世話になっております。

②標題の件について、③議事録を添付しましたのでご確認ください（「第2回会議議事録」）。

④議事録についてご不明な点や、内容の間違いなどがありましたら、杉本までご連絡ください。

⑤なお、第3回ミーティングは、4月25日13時より、本社第1会議室にて行います。

以上、どうぞよろしくお願いいたします。

東京□□株式会社
営業部　杉本

ポイント③　詳細内容を別のファイルで添付したことを知らせる、一般的な言い方。

ポイント④　類 「議事録についてのご質問等は、杉本までご連絡ください」

ポイント⑤　「なお」は情報を追加するときに使う。議事録を送るときに次回のミーティングの日程を確認しておくと、忘れて参加しないなどのミスが防げる。

バリエーション 1
システム障害の報告

①関係部署の皆様

本日、日本時間午前9時～11時15分、システム障害が起きたため、日本からのデータを取り込むことができませんでした。

ポイント①
→内容が謝罪や相手に理解を求めるものなどの場合、「関係者各位」よりも「○○の皆様」などの柔らかな言い方をすることで、より丁寧な印象になることがある。

現在は復旧しましたが、この影響で、②午前中の入力作業が大幅に遅れてしまいました。③関係部署の皆様にはご迷惑をお掛けして申し訳ありません。
④早急に遅れを取り戻すように努力していますので、ご理解・ご了承のほどよろしくお願いいたします。

ポイント②
→作業が遅れた度合いがひどいときは、「大幅に遅れた」と言う。少しだけ遅れたときは「多少遅れた」になる。

ポイント③
→書き手にシステム障害の責任はないが、結果的に他部署に迷惑を掛けているので謝罪している。

ポイント④
→他部署に理解してもらうよう、自分たちが状況改善のために努力していることを伝えている。

練習問題

文中の（　）内に入る語句として適当なものを A~C から1つ選んでください。

1－「（　　　　　　）について議事録をお送りします。」
- ☐ A 標題の件
- ☐ B 見出しの件
- ☐ C 題名の件

2－「営業サポート班の皆様には（　　　　）申し訳ありません。」
- ☐ A 尽力をお掛けし
- ☐ B 労働力をお掛けし
- ☐ C お手数をお掛けし

解答解説

1　解答：**A**
「標題の件について」は、メールで頻出の言葉なので覚えよう。

2　解答：**C**
「お手数をお掛けし」「ご迷惑をお掛けし」「お手間をとらせて」などという。

語彙

日本語	英語	中国語	韓国語
展示会	exposition, trade show	展示会、展览会	전시회
議事録	minutes (of meeting)	会议纪要	의사록
不明	unclear	不明、不清楚	불명, 확실하지 않음
復旧	restoration	恢复正常、恢复原状	복구
大幅に	severely	大幅	대폭으로
早急に	promptly	尽快、尽早	급히

カテゴリー 16　申請（社内）

16-1
備品の使用申請

ポイント①　社内文書なので簡潔に書いてよい。言葉遣いも「借用させていただきたい」など改まった表現はしなくてもよい場合が多い。

ポイント②　借用申請に必要な内容は、個条書きにするとわかりやすい。

件名：9／26研修会用備品の借用申請

総務部　高橋様

お疲れさまです。
①研修会で使う備品を貸し出していただけますでしょうか。
②詳細は以下のとおりです。
日時：9月26日（○）8：30〜17：30
場所：第1会議室
目的：営業研修会に使用するため
必要な備品：プロジェクター、ホワイトボード、ネームプレート
③責任者：営業部　鈴木隆（内線98□□）
研修会自体は10：00に始まりますので、備品は当日朝から受け取りに伺います。④どうぞよろしくお願いいたします。

鈴木

ポイント③　責任者名と、連絡先を忘れずに書くようにする。

ポイント④　結びの言い方として、最も一般的なフレーズ。

バリエーション 1
社用車の利用申請

以下の日程で社用車をお借りします。①よろしくお願いいたします。
・日時：3月4日（○）10時〜16時
・目的：お客様の送迎と、他社での打ち合わせのため
・行き先：羽田空港→横浜□□株式会社
・責任者：企画部　谷口（内線23□□）
②なお、鍵は前日の17時までに取りに伺います。

ポイント①
→「お借りします」だけではなくて、ひと言付け加えるようにすると印象が良い。

ポイント②
→個条書きの部分にはそぐわないが、付け加えたほうがいい情報があるときは「なお、〜」と書くのが一般的。

> バリエーション2
会議室の申請

明後日の午後、③飛び込みで入った会議があるのですが、4Fの会議室はすべて予約が入っています。もしサポートセンターのトレーニングルームが空いていたら、④1時間ほど使わせていただけないでしょうか。こちらの人数は4人です。

ポイント③
→「飛び込みで入った会議」は、予定がなかったのに、急に決まった会議ということ。

ポイント④
→「ほど」は「ぐらい」よりもビジネスらしい表現。「1時間ほど」と具体的な時間を書いておくと、先方も調整しやすい。

練習問題

文中の（　）内に入る語句として適当なものを A～C から1つ選んでください。

1 －「広報部の過去の資料を（　　　　）のですが、よろしいでしょうか。」
- ☐ A　賃貸したい
- ☐ B　お貸ししたい
- ☐ C　お借りしたい

2 －「来週の研修会で、新しいプロジェクターを利用したいのですが、（　　　　）ことはできますか。」
- ☐ A　使わせられる
- ☐ B　使わせていただく
- ☐ C　使っていただける

解答解説

1　解答：C
「～たいのですが、よろしいでしょうか」は許可を求めるときの一般的なフレーズ。「使用したい」「見せていただきたい」

2　解答：B
最近は、自分が何かをするときの丁寧な表現として「～させていただく」という言い方をすることが多い。

語彙

日本語	英語	中国語	韓国語
備品	equipment	备品	비품
申請	request	申请	신청
借用	borrowing	借用	차용
内線	extension	内线	내선
社用車	company vehicle	公司专用车	회사 업무용 자동차

カテゴリー **17** 挨拶(あいさつ)

17-1

着任

ポイント① 着任の挨拶(あいきつ)なので、自分の名前は本文の最初に書く。

件名：着任のご挨拶

株式会社富士□□　販売部長　安田○○様

平素は格別のご高配を賜り、厚く御礼申し上げます。
①阿蘇□□　高村○○と申します。

②このたび、6月1日付けで営業1課に配属になりました。
③今後は、遠藤の後任として貴社を担当させていただきます。
何とぞ④ご指導・ご鞭撻のほど、よろしくお願い申し上げます。
メールにて恐縮ですが、まずはご挨拶まで。

高村

ポイント② 着任したことを伝える、一般的な言い方。類)「○月より販売部から企画部へ異動いたしました」

ポイント③ 前任者から担当を引き継ぐことを知らせる表現。類)「今後は私が御社にお伺いいたします」

ポイント④ 「ご指導・ご鞭撻(べんたつ)」は結びの決まり文句。

バリエーション 1

異動の挨拶

①今月末を持ちまして、広報部へ異動を命じられました。②在職中はいつも温かくご指導くださり、心より感謝いたしております。

ポイント①
→①「〜へ異動を命じられた(命ぜられた)」は、異動を前職の関係者に報告するときに使う一般的なフレーズ。ほかに、「来月より福岡支社勤務となりました」などでもよい。

ポイント②
→前の職に就いていたときは、という意味。退職の挨拶にも使える。

バリエーション2
退職の挨拶

この度、株式会社□□□を、③3月28日付けで退職することになりました。④在職中は格別のご厚情を賜りありがとうございました。
⑤後任として、岡村が貴社を担当させていただくことになりましたので、私同様よろしくお願い申し上げます。

ポイント③
→退職の日付をいう時は、「○月○日付けで」という。

ポイント④
→関係者に感謝の気持ちを示すフレーズ。類)「在職中は大変お世話になりました」「いつも温かいご支援を賜り、深く感謝しております」

ポイント⑤
→退職や異動のときは、自分の後任が誰なのかを相手に知らせるようにする。

練習問題

文中の（　）内に入る語句として適当なものを A～C から1つ選んでください。

1 ー「このたび広報担当を命ぜられ、本日（　　　　　）。」
- ☐ **A** 到着しました
- ☐ **B** 着任しました
- ☐ **C** 着服しました

2 ー「在職中は（　　　　　）お世話をいただき、深く感謝しております。」
- ☐ **A** 私用のことまで
- ☐ **B** 私こと
- ☐ **C** 公私にわたり

解答解説

1 解答：B
新しい職に就くことを「着任」という。

2 解答：C
「公私にわたり」は仕事上のことだけでなく、プライベートなことでもお世話になった人に対してお礼を言うときの言葉。「公私ともども」とも。

語彙

日本語	英語	中国語	韓国語
着任	taking up new post	到任	새 임지로 부임함
配属	assignment	安排	배속
後任	successor	后任	후임
担当	in charge of	负责	담당
鞭撻	encouragement	指出不足，鞭击	편달
異動	transfer	调动	이동

カテゴリー 17　挨拶

17-2
着任の挨拶への返事

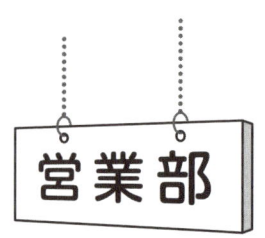

営業部

ポイント①　「エリア」は地域のこと。「□□□営業部関東エリア担当の」とつなげて書くこともできる。

件名：Re：異動のご挨拶

高橋様

いつも大変お世話になっております。
①株式会社□□□営業部で関東エリアの担当をしております、田川です。

前任の横山様には、大変お世話になりました。
今後とも、②こちらこそどうぞよろしくお願い申し上げます。

取り急ぎご挨拶まで。

田川

ポイント②　相手が「よろしく」と言ったことへの返信のときに使う最も一般的な言い方。

バリエーション 1
挨拶（退職）への返事

ご退職されるとのこと、本当にお疲れさまでした。
山田様には、今まで①未熟な私を何かにつけご指導くださり、心より感謝しております。
今後も、山田様が②新たな分野で、ますますご活躍なさるようお祈りしております。

ポイント①
→年の離れた先輩が退職するときなど、これまで指導してもらったことに感謝する気持ちを述べることも。類)「いつも温かいご指導を賜りまして」

ポイント②
→「新たな分野で」は、前の職と違う職種に転職するときや、定年退職のときなどに似合う言葉。

バリエーション2
年始の挨拶

新年明けましておめでとうございます。
今年の正月は、久しぶりに田舎に帰って③のんびり過ごしました。
④今日から気持ちも新たに頑張ります。今年もどうぞよろしくお願いします。

ポイント③
→休暇の報告としてよく使うフレーズ。

ポイント④
→リフレッシュした後や、何か大きな出来事が終わった後などに使う言い方。

練習問題

文中の（　）内に入る語句として適当なものを A〜C から1つ選んでください。

1 ─「メールありがとうございました。（　　　　）今後ともよろしくお願いいたします。」
　　☐ A　こちらも
　　☐ B　こちらともども
　　☐ C　こちらこそ

2 ─「次の就職まで休暇を取られるとのこと、ゆっくり（　　　　）なさってください。」
　　☐ A　骨休め
　　☐ B　箸休め
　　☐ C　気休め

解答解説

1　解答：C
「こそ」は強調の意味の助詞。「こちらのほうこそ」「私のほうこそ」などとも。

2　解答：A
「骨休め」は体を休めて休養すること。

語彙

日本語	英語	中国語	韓国語
前任	predecessor	前任	전임
未熟	inexperienced	不成熟	미숙
指導	guidance	指導	지도
分野	area	方面	분야
定年	mandatory retirement age	退休年齢	정년
リフレッシュ	refreshing	恢复	리프레시, 휴식

第三章

応用編

カテゴリー **1**

依頼

問題 次の内容を読んで、メールの件名と本文を書いてみよう。
もし使う言葉がわからなければ　　　　　内の語彙を参考にしてください。

内容
- 相手の名前：取引先の近藤さん
- 目的：　　新製品「FT□□-12」の詳しい資料を送ってもらう。資料はファイルを添付してもらう。
- 自分の名前：AB□□電器　山本

件名

本文

参考語彙
　　詳細　　　データ
　　お手数ですが　　　お忙しいところ恐縮ですが

カテゴリー **2**

問い合わせ

問題 次の内容を読んで、メールの件名と本文を書いてみよう。
もし使う言葉がわからなければ 　　　　 内の語彙を参考にしてください。

内容
- 相手の名前：取引先の山本さん（毎日メールでやりとりしている相手）
- 目的：　　商品「CR－□□」を300ケース追加注文したいので、納品時期を問い合わせる。
　　　　　3月10日までに欲しい。
- 自分の名前：木下

件名	

本文	

参考語彙
納期　　照会　　納入
急なお願い　　折り返し　　ご回答　　～は可能でしょうか？

111

カテゴリー **3**

確認

問題 次の内容を読んで、メールの件名と本文を書いてみよう。
もし使う言葉がわからなければ　　　　　内の語彙を参考にしてください。

内容
- 相手の名前：□□商会　村上様
- 目的：　　送ってもらった製品カタログの内容について確認する。
　　　　　　品番「EG−□□」の価格が、以前電話で聞いていた価格と違う。
　　　　　　カタログでは1台8万7,000円、聞いていたのは8万3,000円。
- 自分の名前：○○商事　安川

件名

本文

参考語彙
確認させていただきたい　　若干　　確か　　思われるのですが……。
こちらの認識違いかもしれませんが、　念のため

カテゴリー **4**

回答

問題 次の内容を読んで、メールの件名と本文を書いてみよう。
もし使う言葉がわからなければ　　　　　　内の語彙を参考にしてください。

内容
- 相手の名前：□□電機　早川様
- 目的：　　問い合わせのあった「AQ-20XX」3000個の在庫状況の回答をする。2,000個なら1週間で納入できるが、残りは早くても1カ月後という連絡が今日、工場からあった。
- 自分の名前：□□部品　松本

件名	

本文	

参考語彙

ご回答申し上げます　　最短　　納品　　〜とのことです
その旨ご了承ください　　ご検討よろしくお願いいたします。

カテゴリー **5**

通知（社外）

問題 次の内容を読んで、メールの件名と本文を書いてみよう。
もし使う言葉がわからなければ ____ 内の語彙を参考にしてください。

内容
- 相手の名前：□□産業　林様
- 目的：　　7月3日に依頼のあった来年度の商品カタログについて、今日発送したことを知らせる。だいたい3日で到着すると思う。何かわからないことがあったらいつでも聞いてくださいと伝える。
- 自分の名前：□□食品　武本

件名	

本文	

参考語彙
　ご依頼　　本日　　よろしくご査収ください　　そちら
　何かご不明な点などございましたら

カテゴリー **6**

案内（社外）

問題 次の内容を読んで、メールの件名と本文を書いてみよう。
もし使う言葉がわからなければ　　　　　内の語彙を参考にしてください。

内容
- 相手の名前：株式会社□□　中村様
- 目的：　　新商品説明会の案内。日時は5月10日午後2時から4時まで。場所は○○センター2階A会議室。出欠の返事は4月25日までに。（詳細は文章の下にまとめて書くこと。）
- 自分の名前：○○株式会社　営業部　富田

件名	

本文	

参考語彙
　下記のとおり　　お忙しいとは思いますが　　ぜひ　　都合　　出欠
　ご参加をお待ちしております。　　記　　〜　　以上

カテゴリー 7

受領

問題 次の内容を読んで、メールの件名と本文を書いてみよう。
もし使う言葉がわからなければ　　　　　内の語彙を参考にしてください。

内容
- 相手の名前：○○工業株式会社　大野様
- 目的：　　注文していた商品「YT－5X」10ケースが届いたことを相手に知らせる。注文したのは1月20日。こちらの突然の注文にすぐに対応してもらったことにお礼を述べる。
- 自分の名前：○○電機　前田

件名

本文

参考語彙
～日付で　　確かに　　突然の
迅速な　　ご対応

カテゴリー **8**

承諾

問題 次の内容を読んで、メールの件名と本文を書いてみよう。
もし使う言葉がわからなければ ▭ 内の語彙を参考にしてください。

内容
- 相手の名前：○○商事　三井様
- 目的：　　取引先からの納期延期の依頼を承諾する。製品は「EV6XX」１台。どうしても部品がそろわないのですぐには生産できないらしい。社内で話し合った結果、10日間の延期を認めることになった。でも次からはこういうことがないようにしてもらうよう頼む。
- 自分の名前：○○物産　小泉

件名	

本文	

参考語彙
　　お申し出　　〜の件ですが、　　やむを得ない事情　　ほかならぬ
　　貴社　　　了解　　　了承

117

カテゴリー 9

お礼

問題 次の内容を読んで、メールの件名と本文を書いてみよう。
もし使う言葉がわからなければ　　　　　内の語彙を参考にしてください。

内容
- 相手の名前：○○印刷　古屋様
- 目的：　　見積書をファクスしてもらったお礼を言う。急な見積もり依頼で迷惑を掛けたことをお詫びする。でもこれのおかげで明日には注文できそうだ。
- 自分の名前：○○自動車　岡野

件名

本文

参考語彙
急なお願い　　早速
おかげさまで　　感謝

カテゴリー **10**

お詫び

問題 次の内容を読んで、メールの件名と本文を書いてみよう。
もし使う言葉がわからなければ _____ 内の語彙を参考にしてください。

内容
- 相手の名前：AB□□システム株式会社　犬塚様
- 目的：　　　もうすでに送ってしまった1月25日付の請求書の合計請求金額が間違っていたことをお詫びして訂正する。間違えた請求金額は10万3,000円、正しい請求金額は12万5,000円。今日新しい請求書を送るので古いものは捨ててもらうようお願いする。今後は間違えないようにすることを伝えること。
- 自分の名前：XY□コンピュータ　中田

件名	

本文	

参考語彙
　〜日付　　訂正　　不注意
　改めて　　お手数ですが　　破棄

カテゴリー **11**

断り

問題 次の内容を読んで、メールの件名と本文を書いてみよう。
もし使う言葉がわからなければ　　　　　内の語彙を参考にしてください。

内容
- 相手の名前：□□商会　田中様
- 目的：　　追加注文の依頼を断る。理由は、今現在在庫がないし、工場もフル稼働でこれ以上注文を受けても生産がとても追いつかないから。こちらの理由で断ることを謝る。
- 自分の名前：□□株式会社　横田

件名

本文

参考語彙
あいにく　　在庫　　フル稼働
お受けできない　　状況　　弊社の事情

カテゴリー **12**

エスカレーション

問題 次の内容を読んで、メールの件名と本文を書いてみよう。
もし使う言葉がわからなければ　　　　内の語彙を参考にしてください。

内容
- 相手の名前：同じ会社の山本さん
- 目的：　　山本さんからのメールを、「リーダー研修」の担当者（田中さん）に転送したことを伝える。
- 自分の名前：松山

件名	
本文	

参考語彙
　担当者　　転送
　追って（後日、後ほど）

カテゴリー **13**

通知（社内）

問題 次の内容を読んで、メールの件名と本文を書いてみよう。
もし使う言葉がわからなければ　　　　　内の語彙を参考にしてください。

内容
- 相手の名前：人事部の部員全員
- 目的：　　健康診断の申し込み票の提出期限を伝える。提出期限は9月10日（○）、申込書の提出先は人事部高野（メールを書いている本人）まで。
- 自分の名前：人事部の高野

件名

本文

参考語彙
申し込み期限　　提出期限
○月○日となっております

カテゴリー **14**

案内（社内）

問題 次の内容を読んで、メールの件名と本文を書いてみよう。
もし使う言葉がわからなければ　　　　　内の語彙を参考にしてください。

内容
- 相手の名前：関係者全員
- 目的：　　「展示会第1回会議」の案内をする。日時：6月2日（○）10:00～11:00、場所：第1会議室、議題：企画テーマの決定、資料：添付ファイル
- 自分の名前：吉田

件名　［　　　　　　　　　　　　　　　　　　　　　　　　　　　　　］

本文　［　　　　　　　　　　　　　　　　　　　　　　　　　　　　　］

参考語彙
　下記のとおり　　添付ファイル
　ご参加（ご出席）のほど、よろしくお願いします

123

カテゴリー 15

報告（社内）

問題 次の内容を読んで、メールの件名と本文を書いてみよう。
もし使う言葉がわからなければ　　　　　内の語彙を参考にしてください。

内容
- 相手の名前：部長の山下さん
- 目的：　　SV（スーパーバイザー）トレーニング参加の報告をする。トレーニングは8月3日（◯）に行われた。報告書は別ファイルにして添付した。
- 自分の名前：緒方

件名

本文

参考語彙
報告書　　添付
ご確認よろしくお願いします

カテゴリー **16**

申請（社内）

問題 次の内容を読んで、メールの件名と本文を書いてみよう。
もし使う言葉がわからなければ　　　　　内の語彙を参考にしてください。

内容
- 相手の名前：総務部の高橋さん
- 目的：　　部内の歓迎会の余興で使う道具を借りることを伝える。使うのは社旗と社歌のCD。歓迎会は金曜日。
- 自分の名前：営業部の松木。内線番号は98□□

件名	

本文	

参考語彙
　お借りしたいのですが

カテゴリー **17**

挨拶

| 問題 | 次の内容を読んで、メールの件名と本文を書いてみよう。もし使う言葉がわからなければ　　　　　内の語彙を参考にしてください。 |

| 内容 | ・相手の名前：取引先の本多さん
・目的：　　４月１日付で企画部に異動になることを伝える。後任は佐藤さん。
・自分の名前：ヤスダ□□株式会社　販売部の有吉○○ |

| 件名 | |

| 本文 | |

参考語彙

この度　　４月１日付けで　　ご支援を賜り感謝しております
後任として　　貴社を担当させていただきます　　これまで同様

解答例

カテゴリー1 依頼

件名：新製品「FT□□-12」資料送付のお願い

本文：近藤様

いつも大変お世話になっております。

貴社の新製品「FT□□-12」の詳細資料のデータを
お手数ですが、添付ファイルでお送りいただけませんでしょうか。

お忙しいところ恐縮ですが、どうぞよろしくお願いいたします。

AB□□電器　山本

> **解説**
> 挨拶文を忘れないようにしよう。何を送ってほしいか相手にはっきりわかるように書くこと。相手にとって面倒なことなので「お手数ですが」などの言葉を忘れないように。

カテゴリー2 問い合わせ

件名：「CR-□□」納期の問い合わせ

本文：山本様

いつも大変お世話になっております。

さて、早速ですが「CR-□□」の納期についてご照会いたします。
300ケース追加注文させていただきたいのですが、納期はいつごろになるでしょうか。
できれば、3月10日までに頂きたいのですが、それは可能でしょうか？

急なお願いで大変恐縮ですが、折り返しご回答よろしくお願いいたします。

木下

> **解説**
> 週に何度もメールのやり取りをするような相手には、会社名は省略してもよい。よく知ってる相手でも、問い合わせ内容ははっきりわかるように細かく書くこと。追加注文なので、「急なお願いで」などの言葉をひと言添えると印象がよい。

> 解答例

カテゴリー3　確認

件名： カタログ内容についての確認

本文： □□商会　村上様

いつも大変お世話になっております。

本日、製品カタログを頂きました。ありがとうございます。
そこで、内容についてひとつ確認させていただきたい点がございます。
品番「EG-□□」の価格ですが、以前電話でお聞きしていた価格と若干違うように思われるのですが……。
カタログでは1台8万7,000円となっていますが、お聞きしていたのは確か8万3,000円だったように思います。
こちらの認識違いかもしれませんが、念のためお伺いいたします。

お忙しいところ申し訳ございませんが、どうぞよろしくお願いいたします。

〇〇商事　安川

解説
確認メールは、相手が間違っている！ではなく、こちらが間違っているかも……、という気持ちで書くこと。「〜ように思われ／います」や「若干」「確か」「念のため」などの言葉を使うと文章が柔らかくなるので、積極的に使ってみよう！

解答例

カテゴリー4 回答

件名：「AQ-20XX」3,000個の在庫状況の回答

本文：□□電機　早川様

いつもお世話になっております。
お問い合わせの「AQ-20XX」3,000個の在庫状況についてご回答申し上げます。
本日、工場から連絡があったのですが、2,000個でしたら今週末には納品させていただけます。
ただ、残りの1,000個につきましては、最短でも1カ月後になるとのことです。
申し訳ございませんが、その旨ご了承いただけますでしょうか。

それでは、ご検討よろしくお願いいたします。

□□部品　松本

解説
誰かからの回答をそのまま相手に伝えるときは、「〜とのことです」という言葉をうまく使うと便利。回答内容が少しでも相手の希望どおりにならないときは、お詫びの言葉を付け加えること。

(解答例)

カテゴリー5　通知（社外）

件名：カタログ送付のお知らせ

本文：□□産業　林様

いつも大変お世話になっております。

7月3日にご依頼いただきました来年度の商品カタログですが、本日、発送させていただきました。
よろしくご査収ください。
3日ほどでそちらに到着するかと思います。よろしくお願いいたします。

何かご不明な点などございましたら、いつでもお問い合わせください。

今後ともどうぞよろしくお願いいたします。

　　　□□食品　武本

解説
通知メールの件名は「～の通知」より「～のお知らせ」にするほうがよい。「今日」はビジネスメールでは必ず「本日」と書くこと。「よろしくご査収ください」などの書き言葉の決まり文句を覚えておくとメールが書きやすくなる。資料などを送った場合は必ず「何かご不明な点などございましたら……」と付け加えて、相手が問い合わせしやすいようにすると印象がよい。

解答例

カテゴリー6　案内（社外）

件名：新商品説明会のご案内

本文：株式会社□□　中村様

　○○株式会社　営業部　富田と申します。
　いつもお世話になり、ありがとうございます。

　さて、今年も新商品説明会を下記のとおり行います。
　お忙しいとは思いますが、ぜひご参加いただけますようお願いいたします。
　なお、準備などの都合もございますので、4月25日までに出欠のお返事を頂けますよう、よろしくお願いいたします。
　それでは、ご参加をお待ちしております。

　記
　日時：5月10日午後2時～4時
　場所：○○センター2階A会議室
　以上

> **解説**
> 案内メールに対して返事が欲しいときは、必ずいつまでという日にちを書いておくこと。
> できれば「準備の都合で」など理由も書いておくと、返事がもらいやすい。
> 「下記のとおり」「記 ～ 以上」の使い方を覚えれば、いろいろなメールに応用できるので、練習しておこう。

解答例

カテゴリー7 受領

件名：「YT−5X」の納品について

本文：○○工業株式会社　大野様

いつも大変お世話になりありがとうございます。

1月20日付で注文させていただいた「YT−5X」10ケースですが、本日確かに受け取りました。
突然の注文だったにもかかわらず、迅速なご対応ありがとうございました。
今後ともどうぞよろしくお願い申し上げます。

○○電機　前田

> **解説**
> 物などの受け取りの場合は「確かに」を付けると更に確実な印象を与えるのでよい。
> 相手の早くて的確な対応にお礼が言いたい場合は、「早い対応」ではなく「迅速なご対応……」と、ビジネスメールでは言い換えること。

カテゴリー8 承諾

件名：「EV6XX」の納品延期について

本文：○○商事　三井様

いつもお世話になっております。

先日お申し出のあった「EV6XX」1台の納期延期の件ですが、
社内で検討いたしましたところ、貴社にもやむを得ない事情がおありとのことですし、
ほかならぬ貴社のお申し出ですので、今回については10日間の納期延期を了承いたしました。

ただ、次回からはこのようなことがないように、よろしくお願いいたします。

○○物産　小泉

> **解説**
> あまりうれしくない申し出を承諾する場合は、なぜ承諾したかを書いた後に、次から早めてほしいということを丁寧に付け加えるとよい。

（解答例）

カテゴリー9 お礼

件名： 見積書について

本文： ○○印刷　古屋様

いつもお世話になっております。
お願いしていた見積書ですが、先ほど確かに受け取りました。
急なお願いだったにもかかわらず、早速お送りいただきありがとうございました。
おかげさまで、なんとか明日中には注文を出すことができそうです。
お忙しいところお心づかいを頂き、心より感謝申し上げます。

今後ともどうぞよろしくお願い申し上げます。

○○自動車　岡野

> **解説**
> お礼メールの件名は「〜のお礼」と書くことは少なく、「〜について」と書くことが多い。
> 本文も、あまり難しく考えずシンプルに感謝の気持ちを書くこと。

> 解答例

カテゴリー10　お詫び

件名：　1月25日付請求書金額の訂正

本文：　AB□□システム株式会社　犬塚様

　　　　いつも大変お世話になっております。

　　　　先日お送りいたしました1月25日付の請求書についてですが、
　　　　金額が間違っていたことがわかりました。
　　　　合計請求金額は10万3,000円ではなく、正しくは12万5,000円でした。
　　　　こちらの不注意で、ご迷惑をお掛けいたしまして申し訳ございません。
　　　　本日、改めて正しい内容の請求書をお送りいたしますので、
　　　　お手数ですが、今お手元にあるものは破棄していただけますでしょうか。

　　　　今後はこのようなことがないよう十分注意いたします。
　　　　これからもどうぞよろしくお願い申し上げます。

　　　　XY□コンピュータ　中田

> **解説**
> 日本語でお詫びのメールを書くときは、いろいろと理由を並べずにまず素直に謝る。理由をあれこれ並べると言い訳しているように感じる人も多いので注意すること。でも謝った後のその後の対応については細かく書くこと。そして最後に、もう失敗を繰り返さないように努力することを書く。

解答例

カテゴリー 11　断り

件名： 追加注文の件

本文： □□商会　田中様

ご注文いただいた商品につきましては、あいにく在庫がない状態となっております。工場もフル稼働で生産しておりますが、残念ながら追加注文はお受けできない状況です。

弊社の事情によりご迷惑をお掛けし誠に申し訳ございません。
今後とも何とぞよろしくお願い申し上げます。

□□株式会社　横田

> **解説**
> 断るときは、あまり直接的に短い文章にはせず、文章の頭に「あいにく」「残念ながら」などのクッションワードを付けると印象がだいぶ違ってくる。
> 断った後には、「こちらのせいで」「弊社の事情で」など、自分側の理由で断ることを謝ると次につながるのでよい。

カテゴリー 12　エスカレーション

件名： リーダー研修の担当者について

本文： 山本さま

お疲れさまです。

頂いたメールの「リーダー研修」についてですが、
担当者が田中さんなので、そちらに転送しておきました。
追って田中さんからご連絡があるかと思います。

以上、よろしくお願いします。

松山

> **解説**
> 社内メールなので書き出しは「お疲れさまです」などになる。内容も簡潔に書いてよい。
> 担当者が誰なのか名前を書くようにしよう。

解答例

カテゴリー13 ## 通知（社内）

件名：健康診断申し込み期限について

本文：人事部員各位

お疲れさまです。

健康診断の申し込み書の提出期限は9月10日（○）となっております。
期限までに、申込書を高野までご提出いただきますようお願いします。

以上、よろしくお願いします。

高野

> **解説**
> 社内メールなので書き出しは「お疲れさまです」などになる。提出期限と提出先をきちんと書くように。「高野まで提出するよう、お願いいたします」「高野までご提出のほど、お願いします」などでもよい。

カテゴリー14 ## 案内（社内）

件名：展示会第1回会議のご案内

本文：関係者各位

お疲れさまです。
展示会第1回会議を下記のとおり行います。

日時：6月2日（○）10：00～11：00
場所：第1会議室
議題：企画テーマの決定
資料：添付ファイルをご覧ください

ご参加のほどよろしくお願いいたします。

吉田

> **解説**
> いろいろな部署から複数の出席者がいる場合は「関係者各位」が適当。日時や場所などの情報は個条書きでわかりやすく。

解答例

カテゴリー15 報告（社内）

件名：SVトレーニング参加の報告

本文：山下部長

　８月３日（○）に行われたSVトレーニングに参加いたしました。
報告書を添付いたしましたので、ご確認よろしくお願いいたします。

　緒方

> **解説**
> 社内メールの場合は内容を簡潔に書くので、「お疲れさまです」などの挨拶は省略されることもある。いつ行われた何に参加したのか、はっきり書くようにすること。

カテゴリー16 申請（社内）

件名：社旗と社歌CDの借用について

本文：総務部　高橋様

お疲れさまです。
営業の松木です。

今週金曜日に営業部で行う歓迎会で、社旗と社歌のCDをお借りしたいのですがよろしいでしょうか。
お借りしたものは来週の月曜日にお返しします。

よろしくお願いします。

営業部　松木　（内線：98□□）

> **解説**
> 簡単な内容であれば、わざわざ個条書きにしなくてもよい。備品を借りる場合は、いつ返却するか、管理責任者の連絡先などを書くようにする。

解答例

カテゴリー17　挨拶

件名： 異動のご挨拶

本文： 本多様

平素は大変お世話になっております。
この度4月1日付で、販売部より企画部へ異動することになりました。

本多様にはいつも温かいご支援を賜り、心より感謝いたしております。
私の後任として、今後は佐藤が貴社を担当させていただきますので、
これまで同様、何とぞよろしくお願い申し上げます。

ヤスダ□□株式会社販売部
有吉○○

解説
挨拶文は定型のフレーズを使うことが多い。取引先にメールする場合は、後任が誰なのかを伝えるようにしよう。

著者紹介

奥村真希 おくむらまき
長崎県生まれ。岡山大学大学院文学研究科修士課程修了。高校国語教師、中国人民大学日本語講師、GECIS-Asia（大連）日本語トレーニングマネージャーなどを経て、現在はフリーランスライター／日本語教師。2013年よりAustralia、Brisbane在住。著書に『しごとの日本語 電話応対基礎編』、『日本語会話力トレーニングブック』（アルク・共著）、『日本語ビジネス文書マニュアル』（アスク出版）など。

釜渕優子 かまぶちゆうこ
関西学院大学大学院言語コミュニケーション文化研究科博士課程前期課程修了。GECIS-Asia（大連）日本語トレーナーなどを経て、ビジネス日本語・マナートレーニング、留学生就活サポートの「YUMA Teaching Japanese Firm」主催。元関西学院大学日本語教育センター「ビジネス日本語」担当講師。著書に『マンガでわかる実用敬語 初級編』（アルク）、『しごとの日本語 電話応対基礎編』（アルク・共著）など。

しごとの日本語　メールの書き方編

発行日　2008年3月28日　（初版）
　　　　2025年4月4日　（第16刷）

著者──────奥村真希、釜渕優子
編集──────株式会社アルク日本語編集部
表紙デザイン──中村 力
本文デザイン──田松光子
イラスト────岡村伊都
DTP──────株式会社創樹
印刷・製本───TOPPANクロレ株式会社

発行者─────天野智之
発行所─────株式会社アルク
　　　　　　〒141-0001
　　　　　　東京都品川区北品川 6-7-29
　　　　　　ガーデンシティ品川御殿山
　　　　　　Website：https://www.alc.co.jp/

地球人ネットワークを創る
アルクのシンボル「地球人マーク」です。

落丁本、乱丁本は弊社にてお取り替えいたしております。
Web お問い合わせフォームにてご連絡ください。
https://www.alc.co.jp/inquiry/

本書の全部または一部の無断転載を禁じます。著作権法上で認められた場合を除いて、本書からのコピーを禁じます。
定価はカバーに表示してあります。
ご購入いただいた書籍の最新サポート情報は、以下の「製品サポート」ページでご提供いたします。
製品サポート：https://www.alc.co.jp/usersupport/

©2008 Okumura Maki/Kamabuchi Yuko/ALC PRESS INC.
Printed in Japan.
PC : 7007189
ISBN : 978-4-7574-1368-9